C000005539

FOLIO
JUNIOR

Patrick Ness
d'après une idée originale de
Siobhan Dowd

Quelques minutes
après minuit

Traduit de l'anglais
par Bruno Krebs

GALLIMARD JEUNESSE

Titre original : *A Monster Calls*

Édition originale publiée en Grande-Bretagne par Walker Books Ltd, Londres, 2011

Merci à Kate Wheeler

Note des auteurs

Je n'ai jamais eu la chance de rencontrer Siobhan Dowd. Je la connais comme la plupart d'entre vous – à travers ses livres magnifiques. Quatre romans électrisants pour jeunes adultes ; deux publiés de son vivant, deux après sa mort trop précoce. Si vous ne les avez pas lus, dépêchez-vous de combler cette lacune.

Ce livre aurait été son cinquième. Elle avait les personnages, une ébauche, et un début. Ce qui lui manqua, malheureusement, ce fut le temps.

Quand on m'a demandé si je pouvais envisager de tirer un livre de son travail, j'ai hésité. Ce que je ne ferais pas – ce que je ne pouvais pas faire – c'était écrire un roman qui aurait imité sa voix. Je ne lui aurais pas rendu service, ni au lecteur, et encore moins à son histoire. Je ne pense pas qu'une bonne littérature puisse naître de cette façon.

Mais l'intérêt des bonnes idées, c'est qu'elles en engendrent d'autres. Avant même d'y songer consciemment, les idées de Siobhan m'en suggérèrent de nouvelles, et je me mis à ressentir ce fourmillement que tout écrivain attend : le besoin de commencer à poser les mots sur le papier, le besoin de raconter une histoire.

J'avais – et j'ai encore – l'impression d'avoir reçu le témoin dans une course de relais, comme si un écrivain particulièrement remarquable m'avait donné son histoire et dit : « Vas-y, prends-la et cours. Secoue le monde. » Alors c'est ce que j'ai voulu faire. En chemin, je n'ai obéi qu'à une seule règle de conduite : essayer d'écrire un livre que Siobhan aurait aimé. Aucun autre critère n'a réellement compté.

Maintenant, l'heure est venue de vous tendre le témoin. Les histoires ne s'achèvent pas avec les écrivains, quel que soit leur nombre en début de course. Voici ce que Siobhan et moi nous avons conçu.

Alors allez-y, prenez-le. Courez. Secouez le monde.

Patrick Ness
Londres, février 2011

Pour Siobhan

On n'est jeune qu'une fois, dit-on, mais cela ne dure-t-il pas bien plus longtemps ? Plus d'années que l'on ne peut en supporter.

Hilary Mantel, *An Experiment in Love*

Quelques minutes
après minuit

Le monstre apparut juste après minuit.
Comme tous les monstres.

Conor était réveillé.

Il venait de faire un cauchemar. Enfin, pas *un* cauchemar. *Le* cauchemar. Celui qu'il faisait très souvent ces derniers temps. Celui avec les ténèbres et le vent et le hurlement. Celui avec les mains qui glissent des siennes, malgré tous ses efforts pour les cramponner. Celui qui se terminait tout le temps par...

– Va-t'en, chuchota Conor dans l'obscurité de sa chambre en essayant de repousser le cauchemar, de l'empêcher de le suivre dans le monde du réveil. Va-t'en, maintenant.

Il jeta un coup d'œil sur le réveil que sa maman avait placé sur la table de chevet. 00 h 07. Minuit sept. Bien tard pour un dimanche, pour une veille d'école.

Il n'avait parlé à personne du cauchemar. Pas à sa

mère, évidemment, mais à personne d'autre non plus, ni à son père quand il lui téléphonait tous les quinze jours ou presque, sûrement pas à sa grand-mère, et encore moins à quelqu'un de l'école. Vraiment personne. Ce qui se passait dans le cauchemar, personne n'avait besoin de le savoir.

Conor cligna des yeux, puis plissa le front. Quelque chose lui échappait. Il se redressa dans son lit, sortant un peu plus du sommeil. Le cauchemar s'évanouissait, mais il y avait autre chose qu'il n'arrivait pas à identifier, quelque chose de différent, quelque chose de…

Il écouta, aux aguets dans les ténèbres, mais il n'entendait rien d'autre que la maison silencieuse, un craquement parfois au rez-de-chaussée désert, ou un froissement de couverture dans la chambre de sa maman à côté.

Rien.

Et puis, quelque chose. Ce quelque chose qui justement l'avait réveillé.

Quelqu'un l'appelait par son prénom.

Conor.

Il sentit la panique le submerger, lui tordre le ventre. Est-ce que le monstre l'avait suivi ? Est-ce qu'il avait réussi à quitter le cauchemar et à… ?

« Ne sois pas ridicule, se dit-il. Tu es trop vieux pour croire aux monstres. »

Conor.

Et c'était vrai. Il avait eu treize ans le mois dernier.

Les monstres, c'était pour les bébés. Pour les pisse-au-lit. Pour les...

Conor.

Non, ce n'était pas le vent. C'était vraiment une voix, mais il ne la reconnaissait pas.

Pas celle de sa mère, sûrement pas. Ce n'était pas du tout une voix de femme et il se demanda un instant, bêtement, si son père n'était pas revenu d'Amérique sans prévenir, arrivant trop tard pour téléphoner et...

Conor.

Non, pas son père. Cette voix avait un écho particulier, un écho sauvage, *monstrueux.*

Alors, il entendit un grand craquement au-dehors, comme si quelqu'un de gigantesque marchait sur un plancher.

Il ne voulait pas aller voir. Et, en même temps, une partie de lui le voulait plus que tout.

Complètement réveillé maintenant, il repoussa les couvertures, sortit de son lit et gagna la fenêtre. Dans la pâle lumière de la demi-lune, il distinguait nettement le clocher sur la petite colline derrière sa maison, la voie ferrée qui la contournait, la faible lueur de ses deux lignes d'acier. La lune brillait aussi sur le cimetière de l'église, rempli de pierres tombales devenues presque illisibles.

Conor voyait aussi le grand if qui poussait au centre du cimetière, un arbre si vieux qu'il semblait fait de la même pierre que l'église. Il savait que c'était un if parce que sa mère le lui avait dit, d'abord pour être sûre qu'il ne mangerait pas de ses baies, qui étaient toxiques, et encore cette année, quand elle s'était mise à regarder par la fenêtre de la cuisine avec un drôle d'air, en disant :

– C'est un if, tu sais.

Puis il entendit son prénom encore une fois.

Conor.

Comme chuchoté dans ses deux oreilles en même temps.

– Oui, quoi ? s'écria-t-il, le cœur battant, soudain impatient de savoir ce qui allait se passer.

Un nuage vint cacher la lune, plongeant tout le paysage dans l'obscurité, et une rafale de vent, *whoouch*, dévala la colline, s'engouffra dans sa chambre et agita les rideaux. Il entendit encore le grincement et le craquement du bois – ça gémissait comme une chose vivante, comme l'estomac affamé du monde grognant en quête de repas.

Puis le nuage passa, et la lune se remit à briller.

Sur l'if.

Qui maintenant se tenait bien droit au milieu du jardin.

Et le monstre apparut.

Alors que Conor regardait, les branches les plus hautes de l'arbre se regroupèrent pour former un visage énorme et terrible, dessinant une bouche et un nez et même des yeux scintillants qui le fixaient. D'autres branches se tordaient, s'entortillaient, toujours craquant, toujours gémissant, jusqu'à former deux longs bras et une seconde jambe posée le long du tronc principal. Le reste de l'arbre se resserra en une colonne vertébrale puis un torse, ses fines aiguilles tissant une fourrure verte qui se gonflait et respirait comme s'il y avait des muscles et des poumons en dessous.

Déjà plus haut que la fenêtre de Conor, le monstre devint peu à peu plus large, sa forme considérable, écrasante, emplie d'une force apparemment inépuisable. Il regardait tout le temps Conor, qui entendait sa respiration sortir de sa bouche comme un vent bruyant. Il plaça ses mains géantes de chaque côté de la fenêtre, baissant la tête jusqu'à ce que ses yeux immenses remplissent l'encadrement en fixant Conor. La maison de Conor poussa une petite plainte sous son poids.

Alors le monstre parla :

Conor O'Malley, dit-il, et une immense vague de souffle chaud à l'odeur de compost se précipita par la fenêtre, rabattant les cheveux de Conor en arrière.

La voix grondait, basse et puissante, avec une vibration si profonde que Conor la sentait dans sa poitrine.

Je suis venu te chercher, Conor O'Malley, dit le monstre, poussant la maison, secouant les tableaux accrochés au mur de la chambre, jetant par terre les livres et les gadgets électroniques, ainsi qu'un vieux rhinocéros en peluche.

« Un monstre, pensa Conor. Un vrai de vrai. Dans la vie réelle, éveillée. Pas dans un rêve, mais ici, à ma fenêtre. Venu me chercher. »

Mais Conor ne s'enfuit pas.

En fait, il réalisa qu'il n'avait même pas peur.

Tout ce qu'il ressentait, tout ce qu'il avait ressenti depuis que le monstre avait fait son apparition, c'était une déception de plus en plus grande.

– Bon, eh bien, viens me chercher, alors, dit-il.

Un silence étrange tomba.

Que dis-tu? demanda enfin le monstre.

Conor croisa les bras.

– J'ai dit : viens m'attraper, alors.

Le monstre marqua une pause, puis rugit et se mit à tambouriner sur la maison avec ses deux poings. Le plafond de la chambre se gondola et de longues et larges fissures lézardèrent les murs. Le vent s'engouffra dans la chambre, les mugissements furieux du monstre retentirent au-dehors.

Conor haussa les épaules.

– Crie autant que tu voudras. J'en ai vu d'autres, tu sais.

Le monstre rugit encore plus fort et lança son bras à travers la fenêtre. Le verre, le bois et la brique volèrent en éclats. Une immense main tordue, faite de branches tressées, attrapa Conor et le souleva du plancher. Elle l'arracha hors de sa chambre et le hissa dans la nuit, au-dessus du jardin, le tenant dans le cercle de la lune, les doigts tellement serrés autour

18

de ses côtes qu'il pouvait à peine respirer. Il distinguait les dents irrégulières taillées dans le bois dur et noueux de la bouche ouverte du monstre, et il sentait son haleine chaude.

Le monstre fit encore une pause.

Alors comme ça, tu n'as vraiment pas peur?

– Non. Pas de toi, en tout cas, répondit Conor.

Le monstre plissa les yeux.

Tu auras peur pourtant. Avant la fin.

Et la dernière chose dont Conor se souvint, ce fut de la bouche du monstre rugissant pour le dévorer vivant.

Petit déjeuner

– M'man ? appela Conor en entrant dans la cuisine.

Il savait qu'elle n'y serait pas – il n'avait pas entendu chauffer la bouilloire, première chose qu'elle faisait le matin –, mais il s'était mis à l'appeler souvent ces derniers temps, chaque fois qu'il entrait dans une pièce. Il ne voulait pas la surprendre, au cas où elle se serait endormie quelque part sans s'en rendre compte.

Elle n'était pas dans la cuisine. Elle était sûrement encore en haut, dans son lit. Et Conor devrait donc se préparer son petit déjeuner. Il y était habitué, maintenant. Parfait. *Très bien*, même, surtout ce matin.

Il se dirigea rapidement vers la poubelle et glissa bien au fond le sac plastique qu'il transportait, le recouvrant avec d'autres déchets pour mieux le cacher.

– Voilà, dit-il à personne en particulier, mais en respirant plus fort. Puis il hocha la tête et ajouta : … Petit déjeuner.

Une tranche dans le grille-pain, un peu de céréales

dans le bol, du jus de fruit dans le verre, et il s'assit à la petite table pour manger. Sa maman achetait son propre pain et ses céréales à elle en ville, dans un magasin diététique. Heureusement, Conor n'était pas obligé d'en prendre. Le goût était aussi triste et insipide que l'emballage.

Il jeta un coup d'œil sur la pendule. Vingt-cinq minutes encore avant de partir. Il avait déjà enfilé son uniforme d'école et posé son sac à côté de la porte. Il s'en était occupé tout seul.

Il restait assis, le dos tourné à la fenêtre de la cuisine, celle au-dessus de l'évier, qui donnait sur leur petit jardin à l'arrière de la maison, vers la voie ferrée, et l'église et son cimetière.

Et son if.

Conor prit encore une cuillerée de céréales. À part sa mastication, aucun autre bruit ne résonnait dans toute la maison.

C'était un rêve. Qu'est-ce que ça aurait pu être d'autre ?

Quand il avait ouvert les yeux ce matin, la première chose qu'il avait regardée, c'était la fenêtre. Et elle était toujours là, bien sûr, absolument pas abîmée ; elle n'avait rien d'un trou béant ouvert sur le jardin. Bien sûr. Seul un môme aurait pu penser que c'était vraiment arrivé. Seul un môme aurait pu croire qu'un arbre – sérieusement, un arbre ! – était sorti du cimetière pour attaquer la maison.

Il avait ri un peu en y pensant, à l'absurdité de toute cette histoire, et il s'était levé.

Il avait senti quelque chose craquer sous ses pieds.

Le plancher était entièrement tapissé de petites aiguilles d'if, jusqu'au moindre centimètre carré.

Il reprit une bouchée de céréales, évitant de regarder la poubelle où il avait fourré le sac plastique plein des aiguilles qu'il avait balayées aussitôt ce matin.

Il y avait eu du vent cette nuit. Elles étaient entrées par la fenêtre ouverte, bien sûr.

Bien sûr.

Il termina ses céréales et son toast, vida son verre de jus d'orange, puis rinça le tout et le mit dans le lave-vaisselle. Encore vingt minutes. Il décida d'aller vider le sac-poubelle – moins risqué comme ça – dans la grande poubelle à roulettes placée devant la maison. Tant qu'à faire, il prit le sac de déchets recyclables et le sortit également. Puis il fourra un paquet de draps dans la machine à laver – il les suspendrait sur le fil quand il rentrerait de l'école.

Il regagna la cuisine et jeta un regard sur la pendule.

Encore dix minutes.

Toujours aucun signe de…

– Conor ? fit une voix du haut de l'escalier.

Il expira un grand coup, réalisant qu'il avait retenu son souffle jusque-là.

– Tu as pris ton petit déjeuner ? demanda sa mère en s'appuyant au chambranle de la porte de la cuisine.

– Oui, maman, répondit Conor, son sac à la main.

– Tu es sûr ?

– Mais oui, maman.

Elle le regarda d'un air soupçonneux. Il leva les yeux au plafond.

– … Toast, céréales et jus d'orange. J'ai tout mis dans le lave-vaisselle.

– Et tu as sorti la poubelle, remarqua tranquillement sa mère tout en observant comme la cuisine était bien rangée.

– La machine à laver est en marche, aussi, ajouta Conor.

– Tu es un brave garçon, dit-elle avec un sourire, mais il entendit aussi de la tristesse dans sa voix. Je regrette de ne m'être pas levée assez tôt.

– Ça ne fait rien.

– C'est ce nouveau…

– Ça ne fait rien, répéta Conor.

Elle lui souriait toujours. Elle n'avait pas encore enroulé son foulard autour de sa tête ce matin, et son crâne nu avait l'air trop tendre, trop fragile dans la lumière froide, comme celui d'un bébé. Conor en avait l'estomac retourné, à le regarder.

– C'est toi que j'ai entendu cette nuit ? demanda-t-elle.

Il sentit son sang se glacer.

– Quand ça ?

– Un peu après minuit…, dit-elle en se déplaçant lourdement pour allumer la bouilloire. J'ai cru que je rêvais, mais j'aurais juré avoir entendu ta voix.

– J'ai dû parler dans mon sommeil, lâcha Conor d'un ton indifférent.

– Sans doute, acquiesça-t-elle avec un bâillement.

Elle prit une tasse sur l'étagère au-dessus du réfrigérateur.

– Au fait, j'ai oublié de te dire… Ta grand-mère arrive demain.

Conor secoua la tête et leva les yeux au plafond.

– Oh, non, m'man…

– Je sais… Mais tu ne devrais pas avoir à préparer ton petit déjeuner tous les matins.

– Tous les matins ? Mais combien de temps va-t-elle rester ?

– Conor…

– On n'a pas besoin d'elle…

– Tu sais où j'en suis à ce stade de mon traitement, Conor…

– On s'en sort très bien…

– Conor, lâcha sa mère d'une voix si tranchante qu'elle les surprit tous les deux.

Il y eut un long silence. Puis elle sourit à nouveau, mais avec un air très, très fatigué.

– … Je ferai en sorte que cela dure le moins de temps possible, d'accord ? Je sais que tu n'aimes pas prêter ta chambre, et je suis désolée. Je ne lui aurais pas demandé si je n'avais pas eu besoin d'elle, tu comprends ?

Conor devait dormir sur le canapé chaque fois que sa grand-mère venait. Mais ce n'était pas cela qui l'ennuyait. Il n'aimait pas sa manière de lui parler, comme si elle lui faisait passer un examen, un examen qu'il allait rater. En plus, ils s'en étaient très bien sortis tout seuls jusque-là, tous les deux, et même si le traitement l'affaiblissait terriblement, c'était le prix à payer pour qu'elle aille mieux, alors quoi ?...

– Juste pour quelques nuits..., reprit sa maman, comme si elle avait lu dans ses pensées. Ne t'inquiète pas. D'accord ?

Il faisait jouer la fermeture éclair de son sac à dos, sans rien dire, en essayant de penser à autre chose. Alors, il se rappela le sac d'aiguilles qu'il avait fourré dans la poubelle.

Peut-être que ça ne serait pas plus mal, si grand-mère occupait sa chambre.

– J'aime quand tu souris comme cela, dit sa mère en tendant la main vers la bouilloire qui venait de siffler.

Elle ajouta, d'un air faussement épouvanté :

– Et elle va m'apporter quelques-unes de ses vieilles perruques, tu imagines un peu ?

Elle se caressa le crâne.

– ... J'aurai l'air d'un vrai zombie.

– Je vais être en retard, dit Conor en fixant la pendule.

– Très bien, mon chéri, dit-elle en s'approchant d'un pas vacillant pour l'embrasser sur le front. Tu es un gentil garçon. Mais j'aimerais tant que tu n'aies pas besoin d'être si gentil.

En partant, il la vit prendre sa tasse de thé à la fenêtre de la cuisine, au-dessus de l'évier, et comme il ouvrait la porte, il l'entendit murmurer toute seule :

– Toujours là, ce vieil if…

Collège

Il sentait déjà le goût du sang dans sa bouche quand il se releva. Il s'était mordu l'intérieur de la lèvre en tombant, et c'est là-dessus qu'il se concentrait en vacillant, sur cette étrange saveur métallique qui vous donnait envie de la cracher aussitôt, comme si vous aviez mangé quelque chose qui n'avait rien à voir avec de la nourriture.

Pourtant, il avala. Harry et ses potes auraient explosé de joie rien qu'à le voir saigner. Il entendait Anton et Sully rire dans son dos, il savait d'avance quelle tête faisait Harry, même s'il ne le voyait pas. Il devinait pratiquement déjà ce que Harry allait dire, avec cette voix calme, amusée, qui semblait singer celle de tous les adultes que vous auriez préféré ne jamais rencontrer.

– Hé, fais gaffe aux marches. Tu pourrais tomber.

Ben voyons.

Les choses n'avaient pas toujours été ainsi.

Harry, c'était le petit génie blond, la mascotte

des profs depuis toujours. Le premier élève à lever la main, le plus rapide sur un terrain de football mais, en fin de compte, un garçon comme les autres dans la classe de Conor. Ils n'avaient jamais vraiment été amis – Harry n'avait pas d'amis, juste des fidèles. Anton et Sully le suivaient partout, riant à chacun de ses gestes. Mais ils n'avaient pas été ennemis non plus. Conor aurait même été un peu surpris que Harry connaisse son nom.

Mais à un moment, l'année dernière, quelque chose avait changé. Harry avait commencé à remarquer Conor, à croiser son regard, à l'observer avec un amusement détaché.

Ce changement n'était pas arrivé quand tout avait commencé pour sa maman. Non, c'était venu un peu après, quand Conor s'était mis à faire le cauchemar, le *vrai* cauchemar, pas cette idiotie d'arbre, le cauchemar avec le hurlement et la chute, le cauchemar dont il ne parlerait jamais à qui que ce soit. C'est quand il avait commencé à faire ce cauchemar que Harry l'avait remarqué, comme s'il avait porté une marque secrète, que lui seul pouvait voir.

Une marque qui attirait Harry comme un aimant.

Le premier jour de la nouvelle année scolaire, Harry avait fait un croche-pied à Conor, l'envoyant rouler sur le sol.

Tout avait démarré comme ça.

Et ça continuait.

Conor resta le dos tourné pendant qu'Anton et Sully riaient. Il promena sa langue à l'intérieur de sa lèvre pour évaluer la gravité de la morsure. Il survivrait, s'il arrivait jusqu'en classe sans qu'il se produise autre chose.

Mais il se produisit autre chose.

– Laisse-le tranquille ! entendit Conor, qui sursauta en grimaçant.

Il se retourna, et vit Lily Andrews se planter, furibonde, sous le nez de Harry. Anton et Sully rirent encore plus fort.

– Ton caniche est venu à ta rescousse ! dit Anton.

– Je veux juste un combat à la loyale ! dit Lily en agitant ses cheveux frisés comme des poils de caniche, malgré tout le mal qu'elle se donnait pour les tirer et les attacher en arrière.

– Tu saignes, O'Malley, remarqua Harry, sans même faire attention à elle.

Conor porta la main à sa bouche, trop tard pour arrêter le sang qui coulait à la commissure de ses lèvres.

– Il va devoir demander à sa maman chauve un gros bisou baveux pour le guérir, ricana Sully.

L'estomac de Conor se contracta en une boule de feu, comme un petit soleil qui lui brûlait l'intérieur, mais avant qu'il ait le temps de réagir, Lily s'élança. Avec un cri de rage, elle poussa Sully abasourdi dans les buissons, le renversant sur le dos.

– Lilian Andrews ! tonna une voix sourde au milieu de la cour.

Ils s'immobilisèrent. Même Sully, qui tentait de se remettre debout. Miss Kwan, la principale des cinquièmes, se précipitait vers eux, et le pli terrible qui lui barrait le front semblait flamboyer comme une cicatrice.

– C'est eux qui ont commencé, mademoiselle, dit Lilian, essayant déjà de se défendre.

– Je ne veux rien entendre, coupa Miss Kwan. Ça va, Sullivan ?

Sully jeta un bref coup d'œil vers Lily, puis il prit un air souffrant.

– Je ne sais pas, mademoiselle. Je vais peut-être devoir rentrer à la maison…

– N'exagère pas non plus. Dans mon bureau, Lilian.

– Mais, mademoiselle, ils…

– *Tout de suite*, Lilian.

– Ils se moquaient de la mère de Conor !

Tout le monde se pétrifia de nouveau, et le soleil qui brûlait déjà l'estomac de Conor chauffa plus fort, prêt à le dévorer vivant. (et il sentit l'éclair du cauchemar, le vent hurlant, la noirceur brûlante)

Il le repoussa.

– C'est vrai, Conor ? demanda Miss Kwan, le visage aussi grave qu'un sermon.

Le goût du sang lui donnait envie de vomir. Il regarda Harry et sa clique. Anton et Sully avaient l'air inquiets, mais Harry lui retourna son regard, calme et impassible, comme s'il était simplement très curieux d'entendre ce que Conor allait répondre.

– Non, mademoiselle, ce n'est pas vrai, dit-il en ravalant le sang. Je suis juste tombé. Ils m'aidaient à me relever.

Lily faillit pousser un cri de surprise indignée. Sa bouche s'ouvrit, mais il n'en sortit aucun son.

– Regagnez votre classe, dit Miss Kwan. Sauf toi, Lilian.

Lily regarda plusieurs fois par-dessus son épaule pendant que Miss Kwan l'entraînait, mais Conor lui tourna le dos.

Harry lui tendait son sac.

– Bien joué, O'Malley, dit-il.

Conor ne répondit rien. Il attrapa brutalement le sac et se dirigea vers le hall.

Histoires vécues

« Des *histoires* », pensa Conor avec horreur en rentrant chez lui.

L'école était finie, et il en avait fini avec elle. Toute la journée il avait réussi à éviter Harry et les autres, qui n'étaient d'ailleurs pas assez bêtes pour provoquer un nouvel « accident » alors que Miss Kwan avait failli les prendre sur le fait. Il avait également évité Lily. Elle était rentrée en cours avec des yeux rouges tout gonflés et une grimace à faire peur. Quand la cloche sonna, Conor se précipita dehors. Il marcha rapidement, et chaque nouvelle rue l'éloignant un peu plus de tout cela, il sentait s'alléger le fardeau de l'école et de Harry et de Lily.

« *Des histoires* », pensa-t-il encore.

– Vos histoires *à vous*, avait insisté Mrs Marl pendant le cours d'anglais. Et ne croyez pas que votre vie est trop courte pour ne pas avoir d'histoires à raconter.

Ce devoir, elle l'appelait « Histoires vécues » : écrire sur eux-mêmes, leurs familles, leurs ancêtres, les endroits où ils avaient vécu, leurs vacances ou leurs meilleurs souvenirs.

Les choses importantes qui leur étaient arrivées.

Conor déplaça le sac sur son épaule. Il en connaissait une ou deux, des choses importantes qui lui étaient arrivées. Mais il n'avait aucune envie d'écrire là-dessus. Le départ de son père. Le chat qui était sorti de la maison un jour et n'était jamais revenu.

L'après-midi où sa mère lui avait dit qu'ils devaient avoir une petite conversation.

Il fronça les sourcils et continua à marcher.

Et il se rappela la veille de ce jour-là. Sa mère l'avait emmené dans son restaurant indien préféré, et il avait pu commander autant de *vindaloo* qu'il voulait.

Alors, elle avait ri et dit :

– Oh, et puis, après tout, pourquoi pas ?

Et elle en avait commandé aussi pour elle. Ils s'étaient mis à péter avant même d'arriver à la voiture. En route vers la maison, ils avaient à peine pu parler tellement ils riaient.

Conor souriait rien que d'y repenser. Parce qu'en fait, ils n'étaient même pas rentrés à la maison. Ils avaient été au cinéma, une veille d'école, voir un film que Conor avait déjà vu quatre fois mais il savait que sa maman l'adorait. Et ils sont restés assis là toute la séance à pouffer de rire, avaler des kilos de pop-corn et boire des litres de Coca.

Conor n'était pas idiot. Quand ils avaient eu leur petite conversation le lendemain, il savait ce que sa maman avait voulu faire et pourquoi. Mais ils avaient tout de même passé une sacrée soirée. Comme ils avaient ri ! Comme tout leur avait semblé possible. Il aurait pu leur arriver n'importe quoi, même les choses les plus inespérées, cela ne les aurait pas surpris.

Mais là-dessus non plus il n'écrirait pas.

Une voix derrière lui le fit grincer des dents.

– Hé !… Hé, Conor, attends !

Lily.

Elle le rattrapa, puis se planta droit devant lui pour l'obliger à s'arrêter.

– Hé ! Qu'est-ce qui t'a pris de faire ça ?

Elle était essoufflée, mais toujours aussi en colère.

– Laisse-moi tranquille, répondit Conor en l'écartant.

– Pourquoi tu n'as pas dit à Miss Kwan ce qui s'est vraiment passé ? s'obstina Lily en le suivant. Pourquoi m'as-tu laissée avoir des ennuis ?

– Et pourquoi tu t'es mêlée de ce qui ne te regardait pas ?

– Mais je voulais t'aider !

– Je n'ai pas besoin de ton aide. Je me débrouillais très bien tout seul.

– Pas du tout ! Tu saignais !

– Cela ne te regarde *pas*, répéta sèchement Conor, en marchant plus vite.

– J'ai écopé d'une semaine de retenue, se plaignit Lily. Et d'un mot pour mes parents.

– Ce n'est pas mon problème.

34

– Mais c'est de ta faute !

Conor s'arrêta brusquement et se retourna vers elle. Il avait l'air tellement furieux qu'elle recula d'un pas, stupéfaite, presque apeurée.

– C'est de ta faute à toi, dit-il. C'est entièrement de ta faute.

Et il reprit sa marche à grandes enjambées.

– On était amis ! cria Lily derrière lui.

– *Était* ! répliqua Conor sans se retourner.

Il connaissait Lily depuis toujours. Ou en tout cas, il avait l'impression de l'avoir toujours connue, ce qui revenait à peu près au même.

Leurs mères étaient amies avant la naissance de Conor et de Lily, et Lily avait été comme une sœur habitant dans une autre maison, surtout quand l'une gardait l'enfant de l'autre. Lily et lui étaient restés amis, sans jamais avoir le genre de relation romantique pour lequel on les chambrait parfois à l'école. Et en fait, Conor avait même du mal à considérer Lily comme une fille, en tout cas pas comme les autres filles de l'école.

Comment aurait-il pu, alors qu'ils avaient tous deux joué les moutons dans la même crèche de Noël à l'âge de cinq ans ? Quand il l'avait tellement vue se curer le nez ? Quand elle savait qu'après le départ de son père il avait longtemps eu besoin d'une veilleuse pour s'endormir ? Non, c'était juste une amitié, ni plus, ni moins.

Et puis la « petite conversation » avec sa mère était arrivée, et tout s'était enchaîné ensuite très vite, très logiquement.

Personne n'était au courant.

Et puis la mère de Lily a été au courant, bien sûr.

Et Lily a été au courant.

Et puis tout le monde a été au courant. Tout le monde. Et tout a changé du jour au lendemain.

Et ça, il ne le lui pardonnerait jamais.

Une autre rue encore et encore une autre rue et sa maison apparut, petite mais indépendante. Sa mère avait beaucoup insisté là-dessus au moment du divorce, que la maison reste à eux et qu'ils n'aient pas à déménager après le départ de papa pour l'Amérique, avec Stephanie, sa nouvelle femme. C'était il y a six ans. Cela faisait tellement longtemps maintenant que Conor parfois n'arrivait plus à se rappeler ce que c'était d'avoir son père à la maison.

Ce qui ne voulait pas dire qu'il n'y pensait plus, bien sûr.

Il regarda la colline derrière la maison, le clocher de l'église qui épinglait les nuages.

Et l'if qui se balançait doucement au-dessus du cimetière, comme un géant assoupi.

Conor se força à l'observer, pour se convaincre que c'était juste un arbre, un arbre comme n'importe quel autre arbre, comme tous ceux qui bordaient la voie ferrée.

Un arbre. Ce n'était qu'un arbre. Rien d'autre.

Un arbre qui prenait peu à peu la forme d'un visage géant, qui le regardait dans un rayon de soleil, et qui tendait les bras, et l'appelait, *Conor...*

Conor recula, si brusquement qu'il faillit tomber à la renverse et se rattrapa au capot d'une voiture garée là.

Quand il releva les yeux, c'était à nouveau un arbre normal.

Trois histoires

Il était couché dans son lit, complètement réveillé, et fixait le réveil sur sa table de nuit.

Jamais une soirée ne lui avait paru aussi longue. Le simple fait de préparer les lasagnes surgelées avait tellement épuisé sa mère qu'elle s'était endormie presque aussitôt devant la télévision. Conor détestait cette série mais il mit l'enregistreur en route. Puis il la couvrit d'un duvet et alla remplir le lave-vaisselle.

Le portable sonna une fois, sans la réveiller. Conor vit que c'était la mère de Lily qui appelait et il laissa le répondeur s'enclencher. Il fit ses devoirs sur la table de la cuisine, jusqu'aux « Histoires vécues » de Mrs Marl, qu'il laissa de côté. Il surfa un moment sur Internet dans sa chambre avant de se brosser les dents et de se mettre au lit. Il venait à peine d'éteindre quand sa mère entra en s'excusant, l'air épuisée, pour l'embrasser et lui souhaiter bonne nuit.

Quelques minutes plus tard, il l'entendit vomir dans la salle de bains.

– Tu as besoin de quelque chose ? demanda-t-il de son lit.

– Non, mon chéri, répondit-elle dans un souffle. J'ai l'habitude maintenant, tu sais.

S'y habituer, oui. Et Conor, aussi, commençait à s'habituer. C'était toujours le deuxième et le troisième jour après les soins qui étaient les pires, les jours où elle était le plus fatiguée, où elle vomissait le plus. C'était devenu presque normal.

Au bout d'un moment, elle avait cessé de vomir. Il avait entendu le clic de l'interrupteur de la salle de bains et la porte de sa chambre se refermer.

C'était il y a deux heures. Il était resté éveillé depuis, à attendre.

Mais attendre quoi ?

Le réveil indiqua 00 h 05. Puis 00 h 06. Il regarda la fenêtre, bien fermée alors qu'il faisait encore chaud. L'aiguille du réveil se cala sur 00 h 07.

Il se leva, se dirigea vers la fenêtre et regarda dehors.

Le monstre se tenait dans le jardin, et il le fixait des yeux.

Ouvre, dit le monstre d'une voix très claire, comme s'il n'y avait pas de fenêtre entre eux. *Je veux te parler.*

– Ouais, c'est ça, répondit Conor à mi-voix. C'est ce que les monstres disent toujours. Ils veulent *parler*.

Le monstre sourit. C'était un sourire effrayant.

Si je dois entrer par la force, je le ferai avec plaisir.

Et il leva un poing en bois noueux comme pour trouer le mur de la chambre.

– Non ! protesta Conor. Je ne veux pas que tu réveilles maman.

Alors descends, dit le monstre, et une odeur de terre humide, de bois et de sève se répandit dans sa chambre et emplit les narines du garçon.

– Qu'est-ce que tu veux de moi ? demanda-t-il.

Ce n'est pas ce que je veux de toi, Conor O'Malley. C'est ce que toi *tu veux de* moi.

– Je ne veux rien de toi.

Pas encore, dit le monstre. *Mais bientôt.*

– Ce n'est qu'un rêve, murmura Conor dans le jardin en regardant la silhouette du monstre se découper dans le clair de lune.

Il serra ses bras bien fort contre sa poitrine, pas à cause du froid, mais parce qu'il avait du mal à croire qu'il ait vraiment pu descendre l'escalier sur la pointe des pieds, déverrouiller la porte du jardin et sortir.

Pourtant, il se sentait calme. Étrangement calme. Ce cauchemar – parce que c'était évidemment un cauchemar – ne ressemblait pas du tout à l'autre cauchemar.

Pas de terreur, pas de panique, pas de ténèbres, pour commencer.

Et pourtant, c'était bien un monstre, aussi net que la nuit la plus claire, dressé à dix ou quinze mètres au-dessus de lui, respirant bruyamment dans l'air de la nuit.

– Ce n'est qu'un rêve…, murmura-t-il encore.

Mais qu'est-ce qu'un rêve, Conor O'Malley ? dit le monstre en se penchant pour rapprocher son visage de celui du garçon. *Qui peut dire que ce n'est pas* tout le reste *qui est un rêve ?*

Chaque fois que le monstre bougeait, Conor entendait le bois craquer, grincer et gémir dans son immense corps. Il voyait aussi la puissance de ses bras, les grands entrelacs de branches qui se tordaient, glissaient et se déplaçaient sans cesse, sûrement ses muscles et ses tendons d'arbre, liés au tronc massif de la poitrine, lui-même couronné par une tête et des dents qui pouvaient le croquer en une seule bouchée.

– Qu'es-tu ? demanda Conor en serrant ses bras plus fort contre lui.

On me dit qui, grinça le monstre. *Je suis* quelqu'un.

– Qui es-tu, alors ?

Les yeux du monstre s'élargirent.

Qui je suis ? dit-il d'une voix plus forte. *Qui je suis ?*

Il parut grandir sous les yeux de Conor, gagnant en hauteur et en largeur. Un vent violent souffla brusquement autour d'eux, et le monstre étendit ses bras loin, très loin, comme pour atteindre les deux côtés de l'horizon, comme pour couvrir la terre entière.

J'ai eu autant de noms que le temps compte d'années ! rugit le monstre. *Je suis Herne le Chasseur ! Je suis Cernunnos ! Je suis l'éternel Homme Vert !*

Un bras immense s'abattit, cueillit Conor au

passage et le hissa dans les airs, où le vent tourbillonnant faisait furieusement frissonner la peau feuillue du monstre.

Qui je suis? répéta-t-il, toujours rugissant. *Je suis l'échine où s'accrochent les montagnes! Je suis les larmes que pleurent les rivières! Je suis les poumons qui soufflent le vent! Je suis le loup qui tue le cerf, le faucon qui tue la souris, l'araignée qui tue la mouche! Je suis le cerf, la souris et la mouche qui sont mangés! Je suis le serpent du monde qui dévore sa queue! Je suis tout ce qui est sauvage et indomptable!*

Et approchant le garçon de ses yeux, il ajouta :

Je suis cette terre sauvage venue te chercher, Conor O'Malley.

— Tu ressembles à un arbre, dit Conor.

Il le serra si fort qu'il poussa un cri.

Je ne me déplace pas souvent, mon garçon. Uniquement pour des questions de vie ou de mort. Je m'attends donc à ce qu'on m'écoute.

Le monstre relâcha son étreinte et Conor put de nouveau respirer.

— Alors, que me veux-tu à *moi*? demanda-t-il.

Le monstre lui décocha un sourire diabolique. Le vent tomba brusquement, et ce fut le silence.

Enfin, dit-il. *Enfin au cœur du sujet. La raison pour laquelle je suis venu.*

Conor se raidit, redoutant soudain la suite.

Voici ce qui va se passer, Conor O'Malley. Je vais revenir te voir d'autres nuits.

42

Conor sentit son estomac se nouer, comme s'il s'attendait à un coup de poing.

Et je te raconterai trois histoires. Trois histoires du temps où je suis venu.

Conor cligna des yeux. Plusieurs fois.

– Tu vas me raconter des… *histoires* ?

Absolument, répondit le monstre.

Conor regarda autour de lui, incrédule.

– Mais… en quoi est-ce un cauchemar ?

Les histoires sont les choses les plus sauvages de toutes, gronda-t-il. *Les histoires chassent et griffent et mordent.*

– Ça, c'est ce que les profs racontent. Mais personne ne les croit non plus.

Et quand j'aurai terminé mes trois histoires, continua-t-il comme si Conor n'avait rien dit, *tu m'en raconteras une quatrième.*

Le garçon se tortilla dans la main du monstre.

– Je ne sais pas raconter d'histoires.

Tu m'en raconteras une quatrième, répéta-t-il. *Et ce sera la vérité.*

– La vérité ?

Pas n'importe quelle vérité. Ta vérité.

– Bon, d'accord. Mais tu as dit que je serais terrifié avant que tout cela finisse, et tout ça n'a rien de particulièrement terrifiant.

Tu sais que ce n'est pas vrai. Tu sais que ta vérité, celle que tu caches, Conor O'Malley, est la chose que tu crains le plus.

43

Il cessa de gigoter.

Le monstre ne voulait pas dire que…

Non, il ne pouvait pas vouloir dire…

Sûrement il ne pouvait savoir *ça*.

Non, *non*. Il ne raconterait jamais ce qui se passait dans le vrai cauchemar. Jamais de la vie.

Tu la raconteras, reprit le monstre, *car c'est pour cela que tu m'as appelé*.

Conor secoua la tête, encore plus stupéfait.

– Appelé ? Je ne t'ai pas appelé…

Tu me raconteras la quatrième histoire. Tu me raconteras la vérité.

– Et si je ne le fais pas ?

Le monstre retrouva son sourire diabolique.

Alors je te dévorerai vivant.

Et sa bouche s'ouvrit, immense, immense à dévorer la terre entière, immense à faire disparaître Conor pour toujours…

Il se redressa dans son lit en criant.

Son lit. Il était dans son lit.

Bien sûr que c'était un rêve. Bien sûr. Encore un rêve.

Il poussa un soupir de mécontentement et se frotta les yeux. Comment allait-il pouvoir se reposer si ses rêves devaient l'épuiser à ce point ?

Il allait commencer par boire un verre d'eau, pensa-t-il en rejetant les couvertures. Il allait se lever et reprendre cette nuit depuis le début, oublier tous ces rêves sans queue ni tête et…

Quelque chose s'écrasa sous son pied.

Il alluma la lampe. Le plancher était couvert de petites baies rouges. Les baies toxiques de l'if.

Qui étaient entrées par une fenêtre fermée et verrouillée.

Grand-mère

– Eh bien, Conor, t'es-tu conduit en bon garçon avec ta maman ?

Sa grand-mère lui pinça les joues si fort qu'il eut l'impression qu'elle voulait vraiment le faire saigner.

Sa mère lui fit un clin d'œil dans le dos de la grand-mère, son foulard bleu préféré enroulé autour de sa tête.

– Il a été *parfait*, m'man… et il est donc tout à fait inutile de lui faire aussi mal.

– Oh ! balivernes, dit la grand-mère en administrant à Conor une claque sur chaque joue, comme par jeu, mais la douleur n'avait rien de très drôle. Pourquoi n'irais-tu pas mettre la bouilloire à chauffer pour ta mère et moi ? ajouta-t-elle d'un ton qui n'attendait d'ailleurs aucune réponse.

Tandis qu'il quittait la pièce avec soulagement, sa grand-mère se plantait mains sur les hanches et fixait sa fille.

– Et maintenant, ma chérie, l'entendit-il dire en entrant dans la cuisine, qu'allons-nous bien pouvoir faire de toi ?

La grand-mère de Conor n'était pas comme les autres grands-mères. Il avait vu celle de Lily des centaines de fois, et *elle* ressemblait à une vraie grand-mère : souriante et ridée, les cheveux blancs moussus comme de la neige et tout le reste dans le même genre. Elle préparait à chaque repas trois portions de légumes bouillis pour chacun, et à Noël elle n'arrêtait pas de glousser dans son coin avec un petit verre de porto et un chapeau en papier sur la tête.

La grand-mère de Conor portait des costumes-pantalons sur mesure, teignait ses cheveux en noir, et disait des choses totalement dénuées de sens comme « la soixantaine est la nouvelle cinquantaine » ou « les voitures anciennes exigent un lustrage de qualité ». Mais qu'est-ce que ça pouvait bien vouloir dire ? Elle envoyait ses cartes d'anniversaire par courriel, faisait changer la bouteille de vin au restaurant, et elle avait encore un vrai boulot. Sa maison était pire, remplie de vieux trucs hors de prix qu'il ne fallait surtout pas toucher, comme cette horloge qu'elle ne laissait même pas la femme de ménage épousseter. Encore une lubie. Quel genre de grand-mère pouvait avoir une femme de ménage ?

– Deux sucres, pas de lait ! cria-t-elle du salon pendant que Conor préparait le thé.

Comme s'il ne le savait pas depuis sa millionième visite.

— Merci, mon garçon, dit-elle quand il apporta le plateau.

— Merci, mon cœur, dit sa maman en lui souriant en catimini, et l'invitant à rester contre le gré de sa mère.

Conor ne put s'en empêcher. Il lui retourna un petit sourire.

— Et comment s'est passée l'école, aujourd'hui ? demanda la grand-mère.

— Très bien, répondit-il.

Ce qui n'était pas franchement le cas. Lily était toujours folle furieuse, Harry avait plongé un marqueur sans capuchon au fond de son sac à dos, et Miss Kwan l'avait pris à l'écart pour lui demander avec un regard grave «comment il tenait le coup».

— Tu sais, dit sa grand-mère en reposant sa tasse de thé, il existe une très remarquable école privée pour garçons, à cinq cents mètres de chez moi. Je me suis renseignée, le niveau est vraiment très élevé, bien plus élevé qu'ici, il va de soi.

Conor la dévisagea. Encore une autre raison pour laquelle il n'aimait pas les visites de sa grand-mère. Ce qu'elle venait de dire, c'était juste du snobisme par rapport à l'école du coin.

Ou bien c'était pire. Comme un indice sur un possible futur.

Un possible *après*.

Conor sentit la colère monter au creux de son estomac.

– Il est heureux ici, maman, intervint sa mère. N'est-ce pas, Conor ? appuya-t-elle en lui jetant un nouveau regard.

Il répondit, mâchoires serrées :

– Oui, je suis parfaitement bien là où je suis, maman.

Au dîner, ils partagèrent un repas chinois tout préparé. Sa grand-mère ne cuisinait « pas vraiment ». Autant dire pas du tout. Chaque fois qu'il avait séjourné chez elle, son réfrigérateur était resté à peu près vide, avec tout juste un œuf et un demi-avocat. Mais la maman de Conor était trop faible encore pour faire la cuisine, et même s'il aurait pu préparer quelque chose, sa grand-mère ne semblait pas avoir envisagé cette possibilité.

Il avait quand même été chargé de la vaisselle, et il vidait les emballages du repas chinois par-dessus le sac de baies d'if qu'il avait caché au fond de la poubelle quand sa grand-mère entra derrière lui.

– Toi et moi, nous avons à parler, mon garçon, dit-elle, postée en travers de la porte, comme pour lui interdire toute fuite.

– J'ai un prénom, tu sais, marmonna Conor en appuyant sur la poubelle. Et ce n'est pas « mon garçon ».

– Ne fais donc pas ton insolent, répliqua-t-elle.

Elle se tenait là, bras croisés. Ils se fixèrent tous les deux pendant presque une minute, sans baisser les yeux. Puis elle grimaça un demi-sourire.

– … *Tsst, tsst*, allons, je ne suis pas ton ennemie, Conor. Je suis ici pour aider ta maman.

– Je sais très bien pourquoi tu es là, répondit-il, prenant un torchon pour essuyer un plan de travail déjà propre.

Sa grand-mère fit un pas vers lui et lui arracha le torchon des mains.

– Je suis ici parce qu'un garçon de treize ans n'est pas supposé nettoyer un plan de travail sans qu'on le lui demande.

– Ah, parce que tu allais le faire, peut-être ? rétorqua-t-il.

– Conor…

– Va-t'en. On n'a pas besoin de toi ici.

– Conor, reprit-elle plus fermement, nous devons parler de ce qui va se passer.

– Non. Elle est toujours malade après les soins. Elle ira mieux demain.

Puis, la fusillant du regard, il ajouta :

– Comme ça, tu pourras rentrer chez toi.

Elle leva les yeux au plafond et poussa un long soupir. Puis elle se passa férocement les deux mains sur le visage, et il fut étonné de la voir tellement, si *sincèrement* en colère.

Et pas forcément contre lui.

Il prit un autre torchon et se mit à essuyer, juste pour ne pas avoir à la regarder. Il passa le torchon jusqu'à l'évier, et jeta involontairement un coup d'œil par la fenêtre.

Le monstre se tenait dans le jardin, aussi vaste que le soleil couchant. Et il l'observait.

– Elle aura *l'air* mieux demain, jeta sa grand-mère d'une voix cassée, mais elle ne le sera pas vraiment, Conor.

Alors là, elle avait tout faux. Il se tourna vers elle.

– Les soins lui font du bien. C'est pour cela qu'elle y va.

Sa grand-mère le regarda pendant un bon moment, comme si elle cherchait quoi répondre.

– Il faut que tu lui en parles, lâcha-t-elle finalement, pour ajouter, comme pour elle-même : Oui, elle doit parler de tout cela avec toi.

– Parler de quoi ?

– Du fait que tu vas venir vivre chez moi, répliqua-t-elle en croisant à nouveau ses bras.

Conor plissa le front. Un instant, la pièce lui sembla plus sombre. Un instant, la maison sembla trembler. Un instant, il eut envie de se baisser pour arracher tout le plancher de sa base terreuse et ténébreuse.

Il cligna des yeux. Sa grand-mère attendait toujours une réponse.

– Je n'irai pas habiter chez toi, dit-il.

– Conor…

– Je n'irai *jamais* habiter chez toi.

— Et pourtant, si. Je suis désolée, mais tu viendras. Je sais bien qu'elle essaye de te protéger, mais je pense qu'il est vital pour toi de savoir que, quand tout ceci sera terminé, il te restera une maison où aller, mon garçon. Avec quelqu'un qui t'aimera et s'occupera de toi.

— Quand tout ceci sera terminé, cracha Conor d'une voix tremblante de rage, tu partiras et nous irons parfaitement bien.

— Conor…

À ce moment, ils entendirent tous les deux sa voix venant du salon :

— Maman ? *Maman* ?

Sa grand-mère se précipita tellement vite hors de la cuisine que Conor sursauta, surpris. Il entendit sa maman tousser et sa grand-mère répéter :

— Tout va bien, ma chérie. Tout va bien, chut, chut…

Avant de gagner le salon, il jeta un coup d'œil par la fenêtre de la cuisine.

Le monstre avait disparu.

Sa grand-mère était assise sur le canapé, tenant sa fille entre ses bras, lui frottant le dos pendant qu'elle vomissait dans un petit seau toujours placé à proximité au cas où.

Elle leva les yeux vers lui, mais son visage restait figé, dur et totalement inexpressif.

Histoires sauvages

La maison était plongée dans l'obscurité. Sa grand-mère avait finalement mis sa maman au lit, puis elle était allée dans la chambre de Conor, fermant la porte sans même lui demander s'il avait besoin d'y prendre quelques affaires avant qu'elle se couche.

Conor restait éveillé sur le canapé. Il ne pensait pas pouvoir dormir, pas après ce que lui avait dit sa grand-mère, pas après avoir vu à quel point sa mère était mal ce soir. Trois jours s'étaient écoulés depuis le début du nouveau traitement, et elle aurait normalement dû se sentir mieux. Mais elle continuait à vomir et à paraître épuisée alors que cette période aurait dû être passée, maintenant.

Il chassait ces pensées hors de son esprit mais elles revenaient sans cesse et il lui fallait encore les chasser. Au bout d'une éternité, il finit quand même par sombrer dans le sommeil, mais il ne s'en rendit vraiment compte que lorsque le cauchemar arriva.

Pas l'arbre. Le *vrai* cauchemar.

Avec le vent qui rugissait et la terre qui tremblait

et les mains qu'il agrippait mais qui finissaient quand même par glisser, avec un Conor utilisant toutes ses forces en vain, avec la prise qui se desserrait, avec la chute, avec le *hurlement*...

– NON ! cria Conor, sa terreur survivant au réveil, lui étreignant la poitrine si fort qu'il ne pouvait presque plus respirer, la gorge serrée, les yeux remplis de larmes.

– Non..., il répéta, plus calmement cette fois.

La maison était sombre et silencieuse. Il tendit l'oreille un long moment, mais rien ne bougeait, aucun son venant de la chambre de sa maman ni de celle de sa grand-mère. Il plissa les yeux dans la pénombre pour lire l'heure sur l'horloge du lecteur DVD.

00 h 07. Bien sûr.

Il tendit encore l'oreille dans le silence. Mais rien ne se passa. Il n'entendit pas son prénom, il n'entendit pas le craquement du bois.

Peut-être qu'il ne viendrait pas cette nuit.

00 h 08 à l'horloge.

00 h 09.

Vaguement en colère, Conor se leva et entra dans la cuisine. Il regarda par la fenêtre.

Le monstre se dressait dans le jardin.

Tu en as mis du temps, dit-il.

L'heure est venue pour moi de te raconter la première histoire, dit le monstre.

Conor ne bougea pas de la chaise où il s'était assis une fois sorti dans le jardin. Il avait replié ses jambes contre sa poitrine, le menton appuyé sur ses genoux.

Tu m'écoutes ? demanda le monstre.

– Non, répondit-il.

Il sentit à nouveau l'air tourbillonner violemment autour de lui.

J'exige que l'on m'écoute ! souffla le monstre. *Je suis aussi vieux que cette terre et j'attends de toi le respect qui m'est dû !*

Conor se leva de sa chaise et se dirigea vers la porte de la cuisine.

Tu penses aller où comme ça ? rugit le monstre.

Conor se retourna. Son visage reflétait une telle rage, une telle douleur, que le monstre se redressa, étonné, haussant ses immenses sourcils feuillus.

– Qu'en sais-tu ? cracha Conor. Et d'ailleurs, que sais-tu de quoi que ce soit ?

J'en sais long sur toi, Conor O'Malley…

– Non, tu ne sais rien. Sinon, tu saurais que je n'ai pas le temps d'écouter les histoires stupides et sans intérêt d'un arbre stupide et sans intérêt qui n'est même pas réel…

Ah, vraiment ? ricana celui-ci. *Et les baies sur le plancher, tu les as rêvées, elles aussi ?*

– Et alors, qu'est-ce que ça peut bien faire ? cria Conor. Des baies ! Oh, là là, hou-hou, j'ai trop peur. Mon Dieu, mon Dieu, protégez-moi des baies !

Le monstre lui jeta un regard surpris.

C'est bizarre. Les mots que tu emploies me disent que tu as peur des baies, mais tes gestes semblent indiquer le contraire.

– Tu es aussi vieux que la terre et tu ignores ce que c'est que la moquerie ?

Le monstre posa ses immenses mains branchues sur ses hanches.

Bien sûr que si. Mais les gens évitent généralement de me parler sur ce ton-là.

– Est-ce que tu ne pourrais pas me laisser un peu tranquille ?

Le monstre secoua la tête, mais pas en réponse à la question de Conor.

C'est vraiment très inhabituel. Rien de ce que je fais ne semble t'effrayer.

– Tu es un arbre, rien d'autre, répondit Conor.

Et il ne voyait pas comment il pouvait imaginer la chose autrement. Même s'il marchait et parlait, même s'il était plus grand que sa maison et pouvait l'avaler en une seule bouchée, le monstre restait toujours, au bout du compte, un if. Conor apercevait même les baies qui avaient poussé sur une branche de son coude.

Et tu as encore des choses bien pires à craindre, affirma le monstre.

Conor regarda le sol, puis la lune, partout sauf les yeux du monstre. Le sentiment de cauchemar montait en lui, remplissant de ténèbres tout ce qui l'entourait, et tout paraissait d'un coup très lourd, insurmontable, comme si on lui avait demandé de soulever une montagne, avec interdiction de partir tant qu'il ne l'aurait pas fait.

– Je pensais… (Il s'étrangla et dut tousser avant de continuer.) Je t'ai vu m'observer aujourd'hui quand je me disputais avec ma grand-mère et j'ai pensé…

Qu'as-tu pensé? demanda le monstre, puisque Conor ne terminait pas sa phrase.

– Non, rien, répondit-il en se dirigeant vers la maison.

Tu as pensé que j'étais peut-être venu pour t'aider.

Conor s'arrêta.

Tu as pensé que j'étais peut-être venu renverser tes ennemis. Terrasser tes dragons.

Conor ne bougeait toujours pas la tête. Mais il n'entra pas dans la maison non plus.

Tu as pressenti la vérité quand je t'ai dit que tu m'avais appelé, que tu étais la raison qui m'avait fait venir à pied. N'est-ce pas?

Conor se retourna, cette fois.

– Et tout ce que tu veux, c'est me raconter des *histoires*, dit-il, sans pouvoir cacher sa déception.

Parce que oui, c'était vrai. Il l'avait pensé. Il l'avait même *espéré*.

Le monstre s'agenouilla pour rapprocher sa figure de celle de Conor.

Ces histoires racontent comment j'ai renversé des ennemis, dit-il. Comment j'ai terrassé des dragons.

Conor cligna des yeux sous le regard du monstre.

Les histoires sont des créatures sauvages. Quand tu les libères, qui sait ce qu'elles peuvent déclencher ?

Il tourna la tête et Conor suivit son regard. Il fixait la fenêtre de sa chambre. La chambre où sa grand-mère dormait.

Laisse-moi te raconter une histoire des temps où je me suis déplacé. Laisse-moi te raconter la fin d'une méchante reine et comment je me suis assuré qu'on ne la reverrait plus jamais.

Conor avala sa salive et fixa le visage du monstre.

– Vas-y, dit-il.

La première histoire

Voici bien longtemps, commença le monstre, *bien avant qu'il y ait une ville avec des routes et des voitures et des trains, cet endroit était vert. Les arbres couvraient chaque colline et bordaient chaque chemin. Ils ombrageaient chaque ruisseau et protégeaient chaque maison, car il y avait des maisons, même en ce temps-là, construites en pierre et en terre.*

C'était un royaume.

(– Comment ça ? dit Conor en observant le jardin autour de lui. Ici ?)

(Le monstre pencha la tête, intrigué. *Tu n'en as jamais entendu parler ?*)

(– D'un royaume par ici, non, jamais. On n'a même pas un McDonald's.)

Pourtant, c'était bien un royaume, petit mais heureux, car le roi était un roi juste, un homme dont la sagesse était née des épreuves. Sa femme avait donné naissance à quatre garçons solides mais, durant son règne, il avait été obligé de partir en bataille pour préserver la paix de son royaume. En bataille contre des géants et des dragons, en bataille contre des loups noirs aux yeux rouges, en bataille contre des armées d'hommes menées par de grands sorciers. Ces batailles apportèrent la sécurité aux frontières et la paix à l'intérieur du royaume. Mais cette victoire, il la paya très cher. L'un après l'autre, les quatre fils du roi furent tués. Par le feu d'un dragon ou les mains d'un géant ou les dents d'un loup ou la lance d'un homme. L'un après l'autre, les quatre princes du royaume tombèrent, ne laissant au roi qu'un seul héritier : son jeune petit-fils.

(– Tout cela ressemble plutôt à un conte de fées, maugréa Conor d'un ton soupçonneux.)

(*Tu parlerais autrement si tu avais déjà entendu le hurlement d'un homme transpercé par une lance. Ou ses cris de terreur quand une meute de loups le déchire. Et maintenant, ne m'interromps plus.*)

À la longue, la reine succomba au chagrin, tout comme sa fille, la mère du jeune prince. Le roi n'avait plus que l'enfant pour compagnie, et davantage de tristesse qu'un homme seul n'en pouvait supporter.

« Je dois me remarier, décida-t-il un jour. Pour le bien de mon petit-fils et celui de mon royaume, sinon pour moi-même. »

Et donc il se remaria, avec une princesse originaire d'un royaume voisin, une union réfléchie qui renforçait les deux territoires. Elle était jeune et blonde, et même si peut-être son visage était un peu dur et sa langue un peu trop bien pendue, elle semblait rendre le roi heureux.

Le temps passa. Le jeune prince grandit, jusqu'à

devenir presque un homme. Encore deux ans, et il atteindrait les dix-huit ans qui lui permettraient de monter sur le trône à la mort de son grand-père. Le royaume connut alors des jours paisibles. On en avait fini avec les guerres et l'avenir semblait assuré entre les mains du courageux jeune prince.

Mais, un jour, le roi tomba malade. La rumeur courut que sa nouvelle femme l'empoisonnait peu à peu. Des histoires circulaient : elle aurait utilisé de puissants sortilèges pour paraître beaucoup plus jeune qu'elle n'était, et derrière son frais visage se cacherait la grimace d'une vieille harpie. On la croyait tout à fait capable d'empoisonner le roi, mais lui, jusqu'à son dernier souffle, supplia ses sujets ne pas la juger sans preuve.

Et puis il mourut, un an avant que son petit-fils soit en âge de porter la couronne. La reine, sa belle-mère, devint régente. Elle allait prendre en main les affaires d'état jusqu'à ce que le prince atteigne sa majorité.

Au début, à la surprise générale, ce fut un bon règne. Malgré les rumeurs, elle avait toujours l'air aussi jeune et agréable, et elle réussit à gouverner de la même façon que le vieux roi.

Le prince, pendant ce temps, était tombé amoureux.

(– Je le savais, grommela Conor. Il y a toujours des idiots de princes pour tomber amoureux dans ce genre d'histoires. Je m'attendais à mieux, tout de même.)

(D'un mouvement rapide, le monstre attrapa les chevilles de Conor de sa longue main puissante et le suspendit la tête en bas, jusqu'à ce que son tee-shirt lui remonte sous le menton et que son cœur lui cogne dans le crâne.)

Comme je le disais, poursuivit-il, le prince était tombé amoureux. Ce n'était qu'une fille de fermier, mais elle était belle, et intelligente, comme souvent les filles de fermier, car le travail de la ferme est une affaire compliquée. Tout le royaume voyait ce couple d'un très bon œil.

Sauf la reine. Elle commençait à apprécier son trône de régente, et se sentait étrangement peu pressée de le céder. Elle se disait qu'il vaudrait mieux que la couronne reste dans la famille, que le royaume serait mieux gouverné par ceux qui avaient de l'expérience, et quelle meilleure solution qu'un mariage entre le prince et elle ?

(– Ça, c'est dégoûtant, s'écria Conor, toujours la tête en bas. C'était sa grand-mère !)

(*Belle-grand-mère*, corrigea le monstre. *Pas liée par le sang, et en plus, selon les apparences, elle-même une jeune femme.*)

(– Quand même, ça n'est pas bien, dit Conor en agitant ses cheveux qui pendaient.

Puis, après une pause :

– Tu pourrais peut-être me remettre par terre ?)

(Le monstre le reposa sur le sol et continua son histoire.)

Le prince non plus n'était pas d'accord pour épouser la reine. Il dit qu'il préférerait mourir plutôt que de faire une chose pareille. Il jura de fuir avec la jolie fille du fermier et de revenir à son dix-huitième anniversaire pour délivrer son peuple de la tyrannie de la reine. Et c'est ainsi qu'une nuit, le prince et la fille du fermier s'échappèrent à cheval, ne s'arrêtant qu'à l'aube pour dormir à l'ombre d'un if géant.

(– Toi ? demanda Conor.)

(Oui, moi. Ou, plus exactement, une partie de moi. Je peux prendre n'importe quelle forme de n'importe quelle taille, même si c'est sous ma forme d'if que je me sens le mieux.)

Le prince et la fille du fermier se tinrent serrés l'un contre l'autre jusqu'au lever du jour. Ils avaient juré de rester chastes tant qu'ils ne seraient pas mariés dans le royaume voisin, mais leur passion l'emporta et, très vite, ils se retrouvèrent nus puis endormis dans les bras l'un de l'autre.

Ils dormirent toute la journée à l'ombre de mes branches et la nuit tomba de nouveau. Le prince se redressa. « Réveille-toi, mon amour, chuchota-t-il à la fille du fermier, car nous allons chevaucher vers le jour de notre mariage. »

Mais son amour ne se réveilla pas. Il la secoua, et c'est seulement quand il la retourna dans le clair de lune qu'il remarqua le sang qui mouillait la terre.

(– Du sang ? interrompit Conor. Mais le monstre continua.)

Le prince avait lui aussi les mains couvertes de sang, et il aperçut un couteau ensanglanté sur l'herbe à côté d'eux, posé contre les racines de l'arbre. Quelqu'un avait assassiné sa bien-aimée, et s'était arrangé pour faire croire que c'était le prince qui avait commis le meurtre.

« *La reine ! s'écria le prince. La reine est responsable de cette traîtrise !* »

Au loin, il entendait des villageois s'approcher. S'ils le trouvaient, ils verraient le couteau et le sang, et ils le prendraient pour l'assassin. Et ils le mettraient à mort pour son crime.

(– Et la reine pourrait gouverner sans partage, commenta Conor avec une grimace de dépit. J'espère que tu lui arracheras la tête à la fin de cette histoire.)

Le prince n'avait nulle part où fuir. On avait chassé son cheval pendant qu'il dormait. L'if était son seul refuge.

Et aussi le seul endroit où il pouvait trouver de l'aide.

Le monde était plus jeune, à cette époque. La barrière entre les choses était plus mince, plus facile à franchir. Le prince le savait. Alors il leva la tête vers le grand if et il parla.

(Le monstre marqua une pause.)

(– Eh bien, qu'a-t-il dit ? demanda Conor.)

(*Il en dit assez pour me pousser à bouger. Je sais reconnaître l'injustice quand je la vois.*)

Le prince courut vers les villageois. « *La reine a assassiné ma fiancée ! cria-t-il. Il faut arrêter la reine !* »

Les rumeurs sur la reine et la sorcellerie circulaient depuis longtemps, et le jeune prince était si aimé des gens qu'il leur fallut très peu de temps pour comprendre la vérité. Il leur en fallut même encore moins quand ils virent le grand Homme Vert marcher derrière lui, aussi haut qu'une colline et réclamant vengeance.

(Conor jeta un coup d'œil sur les énormes membres

du monstre, sa bouche et ses dents irrégulières, son écrasante monstruosité. Il imagina ce que la reine avait dû penser quand elle le vit arriver.)

(Il sourit.)

Le peuple attaqua le château de la reine avec une telle furie que les pierres de ses murs en tremblèrent. Les fortifications tombèrent et les plafonds s'écroulèrent, et quand la foule découvrit la reine dans ses appartements, elle s'empara d'elle et la traîna jusqu'au bûcher pour la brûler vive.

(– Excellent, dit Conor avec un sourire. Elle l'avait mérité. Il leva les yeux vers la fenêtre de sa chambre, où sa grand-mère dormait. J'imagine que tu ne peux pas me donner un coup de main pour elle… Enfin, pas la brûler vive, ni rien de ce genre, mais peut-être juste…)

L'histoire, dit le monstre, *n'est pas encore terminée.*

La fin de
la première histoire

– Ah, bon ? questionna Conor. Pourtant, la reine a bien été renversée.

Oui, mais pas par moi.

Conor plissa le front, cherchant à comprendre.

– Mais tu as dit que tu t'étais arrangé pour qu'elle disparaisse à jamais.

Et c'est ce que j'ai fait. Quand les villageois ont allumé le bûcher pour la brûler vivante, j'ai tendu la main et je l'ai sauvée.

– Tu as fait quoi ?

Je l'ai prise et je l'ai emmenée suffisamment loin pour que les villageois ne la retrouvent jamais, bien plus loin que le royaume de sa naissance, jusqu'à un village au bord de la mer. Et je l'y ai laissée vivre en paix.

Conor se dressa sur ses pieds, incrédule.

– Mais elle avait assassiné la fille du fermier ! Comment est-ce que tu as pu sauver une criminelle ?

Secouant tristement la tête, il recula d'un pas.

– ... Tu es un *vrai* monstre, finalement.

Je n'ai jamais dit qu'elle avait tué la fille du fermier, corrigea le monstre. *J'ai seulement dit que le prince l'avait affirmé.*

Conor cligna des yeux, puis croisa les bras.

– Mais alors, qui donc l'a tuée ?

Le monstre ouvrit ses immenses mains d'une curieuse façon, et une brise s'en échappa, apportant un épais brouillard avec elle. La maison de Conor était toujours derrière lui, mais le brouillard avait effacé le jardin. À la place, il y avait un pré avec un if géant au centre et un homme et une femme qui dormaient à ses pieds.

Après leurs ébats, dit le monstre, *le prince resta éveillé.*

Conor vit le prince se lever et regarder la fille du fermier endormie, et même lui Conor voyait bien comme elle était belle. Le prince resta à la regarder pendant un moment, puis il s'enveloppa dans une couverture, et rejoignit leur cheval attaché à une branche de l'if. Il retira quelque chose de la sacoche, puis détacha le cheval et lui donna une claque sur la croupe pour le faire partir au galop. Le prince brandissait ce qu'il avait sorti du sac.

Un couteau luisant au clair de lune.

– Non ! s'écria Conor.

Le monstre referma les mains et la brume s'épaissit encore tandis que le prince s'approchait de la fille du fermier.

– Mais tu avais bien dit qu'il était surpris quand elle ne s'est pas réveillée ?

Après avoir tué la fille du fermier, le prince s'est allongé auprès d'elle et il s'est rendormi. Quand il s'est réveillé, il a joué la comédie, au cas où quelqu'un l'observerait. Et cela te surprendra peut-être, mais aussi pour lui-même. (Les branches du monstre craquèrent.) *Quelquefois, les gens ont surtout besoin de se mentir à eux-mêmes.*

– Mais tu as dit qu'il t'avait demandé ton aide ! Et tu l'as aidé ?

J'ai seulement dit qu'il en avait assez dit pour me faire venir.

Conor ouvrit de grands yeux, scrutant le monstre, puis le jardin qui se reformait dans la brume.

– Que t'a-t-il dit ?

Il m'a dit qu'il avait fait cela pour le bien du royaume. Que la nouvelle reine était en fait une sorcière, que son grand-père avait soupçonné la vérité quand il s'était marié, mais qu'il l'avait ignorée en raison de sa beauté. Le prince ne pouvait renverser à lui seul une puissante sorcière. Il avait besoin de la fureur des villageois pour l'aider. La mort de la fille du fermier fit l'affaire. Il était désolé d'avoir à commettre ce crime, il en avait le cœur brisé, m'a-t-il dit, mais tout comme son propre père était mort pour défendre le royaume, sa bien-aimée devait mourir elle aussi. Sa mort permettrait d'éviter de plus grands malheurs. Et quand il raconta que la reine avait assassiné sa fiancée, il avait l'impression de dire vrai d'une certaine manière.

– Tout ça, c'est de la blague ! cria Conor. Il n'avait pas besoin de la tuer ! Les gens étaient derrière lui. Ils l'auraient suivi de toute façon.

Les justifications des hommes qui tuent devraient toujours être écoutées avec scepticisme, répondit le monstre. *L'injustice, c'est bien ce qui m'a décidé à bouger, mais pour venir en aide à la reine, pas pour le prince.*

– Et il a été pris ? On l'a puni, finalement ?

Il est devenu un roi très aimé, qui a régné sans un nuage jusqu'à la fin de sa longue vie.

Conor releva les yeux vers la fenêtre de sa chambre et fronça les sourcils.

– Alors, le bon prince était un meurtrier et la méchante reine n'était finalement pas une sorcière. Et c'est ça, la leçon de cette histoire ? Que je devrais me montrer gentil avec *elle* ?

Il entendit un gargouillis bizarre, différent des bruits qu'il connaissait. Il lui fallut un moment pour comprendre que le monstre *riait*.

Parce que tu crois que je te raconte des histoires pour te donner des leçons ? Tu penses que je suis venu, que j'ai quitté mon temps et ma terre pour te donner une leçon de gentillesse ?

Il rit plus fort, et encore plus fort, jusqu'à ce que le sol tremble et que le ciel paraisse vouloir s'effondrer.

– Bon, d'accord, lâcha Conor, embarrassé.

Non, non, finit par dire le monstre un peu calmé, *la reine était très certainement une sorcière et elle se préparait peut-être à commettre d'horribles choses. Qui peut*

69

le dire ? Elle essayait bien de se cramponner au pouvoir, après tout.

– Pourquoi l'as-tu sauvée, alors ?

Parce que dans tous les cas, ce n'était pas une meurtrière.

Conor fit quelques pas dans le jardin, s'arrêta pour réfléchir, puis continua :

– Je ne comprends pas. Qui est le gentil, dans l'histoire ?

Il n'y a pas toujours un gentil. Et pas toujours un méchant non plus. La plupart des gens sont entre les deux.

Conor secoua la tête.

– Ton histoire est nulle. C'est une véritable arnaque.

Mais c'est une histoire vraie. Bien des choses vraies ont l'air de tromperies. Les royaumes ont les princes qu'ils méritent, les filles de fermier meurent sans raison, et des sorcières méritent parfois d'être sauvées. Très souvent, même. Tu serais étonné.

Conor jeta un nouveau coup d'œil vers sa fenêtre, imaginant sa grand-mère en train de dormir.

– Et en quoi tout cela pourra bien me protéger d'elle ?

Ce n'est pas d'elle que tu as besoin d'être protégé, dit le monstre.

Conor se redressa sur le canapé, la respiration oppressée.

00 h 07 marquait le réveil.

– Bon sang ! s'écria-t-il. Est-ce que je rêve ou non ?

Il se leva, en colère.

Et son orteil heurta aussitôt quelque chose.

– Quoi encore ? marmonna-t-il en se penchant pour allumer une lampe.

Sortant d'un nœud du plancher, un rejet d'if avait fraîchement poussé, tout jeune mais déjà très solide et haut de trente centimètres environ.

Conor le fixa pendant un moment. Puis il se rendit à la cuisine et prit un couteau pour le couper à la base.

Arrangement

– Je te pardonne, dit Lily en le rattrapant sur le chemin de l'école.

– De quoi ? répondit Conor sans la regarder.

Il était encore irrité par l'histoire du monstre, par son déroulement tordu et sa fin en queue de poisson qui ne pouvait l'aider en rien du tout. Il avait mis une demi-heure à scier le rejet du plancher, tellement son bois était dur, et il avait eu l'impression de s'être tout juste endormi quand arriva l'heure de se lever, et encore, c'est la voix de sa grand-mère qui l'avait réveillé, le grondant parce qu'il était en retard. Elle ne le laissa même pas dire au revoir à sa maman, disant qu'elle avait passé une nuit difficile et devait se reposer. Il se sentit coupable parce que, si elle avait passé une mauvaise nuit, c'est lui qui aurait dû être là pour l'aider, pas sa grand-mère qui lui laissa à peine le temps de se brosser les dents avant de lui fourrer une pomme dans la main et de le pousser dehors.

– Je te pardonne de m'avoir causé des ennuis, idiot, répondit Lily, mais pas méchamment.

– Tes ennuis, tu les as bien cherchés. C'est toi qui as poussé Sully.

– Je te pardonne d'avoir menti, insista Lily, ses boucles de caniche férocement tirées en arrière par un élastique.

Conor marchait sans répondre.

– … Et tu ne vas pas t'excuser ? continua-t-elle.

– Non.

– Mais pourquoi ?

– Parce que je n'ai *pas* à m'excuser.

– Conor…

– Je n'ai pas à m'excuser, lâcha-t-il en s'arrêtant, et *je* ne te pardonne pas.

Ils se fixèrent tous les deux dans la fraîcheur du soleil matinal, attendant que l'autre détourne les yeux le premier.

– Maman a dit que nous devions nous montrer patients avec toi, dit finalement Lily. À cause de la période que tu traverses.

Pendant un instant, le soleil parut glisser derrière les nuages. Pendant un instant, tout ce que vit Conor, c'étaient des orages prêts à éclater dans le ciel, à travers son corps et à jaillir de ses poings serrés. Pendant un instant, il eut l'impression de pouvoir attraper l'air pour l'entortiller autour de Lily et la déchirer en deux…

– Conor ? questionna-t-elle, interloquée.

– Ta mère ne sait rien, cracha-t-il. Et toi non plus, tu ne sais rien.

Et il s'éloigna à grandes enjambées, la laissant pétrifiée sur le trottoir.

Cela faisait à peine plus d'un an que Lily avait parlé à quelques-uns de ses amis de la maman de Conor, alors que jamais il ne lui avait donné la permission de le faire. Ces amis en avaient parlé à quelques autres, qui en avaient parlé à d'autres et, avant la fin de la demi-journée, c'était comme si un cercle s'était ouvert autour de lui, un territoire miné, que personne n'osait traverser et dont il était le centre. Tout à coup, ceux qu'il croyait être ses amis s'arrêtaient de bavarder quand il s'approchait. Il n'en avait jamais eu tellement, des amis à part Lily, mais quand même. Brusquement, les gens se mettaient à baisser la voix quand il passait dans un couloir ou à la cantine. Même les profs avaient une attitude différente quand il levait le doigt pendant les cours.

Alors, au bout d'un moment, il a cessé d'aller vers les autres, cessé de faire attention aux chuchotements, et même cessé de lever le doigt.

Et franchement, personne n'avait eu l'air de s'en apercevoir. Comme s'il était soudain devenu invisible, purement et simplement.

Il n'avait jamais passé une année scolaire aussi pénible, ni accueilli avec plus de soulagement l'arrivée des vacances scolaires. Sa mère était en plein traitement, et elle lui avait répété tant et plus que les séances étaient dures mais qu'elles « faisaient leur travail », leur longue série touchant à son terme. Quand elle en aurait terminé, une nouvelle année scolaire commencerait. Alors, ils pourraient oublier tout cela et repartir de zéro.

Sauf que cela s'était passé bien autrement. Les soins avaient continué plus longtemps que prévu, d'abord une deuxième série, et maintenant une troisième. Les profs de cette année étaient encore pires, parce qu'ils ne connaissaient pas le Conor d'avant et le voyaient seulement par rapport à sa mère. Et les autres gamins le traitaient toujours comme si c'était lui qui était malade, surtout depuis que Harry et sa clique avaient décidé de s'en prendre à lui.

Et maintenant sa grand-mère qui s'incrustait à la maison et lui qui rêvait d'arbres.

À moins que ce ne soit pas un rêve. Ce qui était encore pire, d'ailleurs.

Il continua à marcher, toujours en colère. Il en voulait à Lily parce que c'était surtout de sa faute, non ?

Il en voulait à Lily, oui, parce qu'à qui d'autre, sinon ?

Cette fois, le poing de Harry lui percuta l'estomac.

Conor tomba par terre, écorchant son genou sur la marche en béton, déchirant le pantalon de son uniforme scolaire. Le trou, c'était le pire. Il était nul en couture.

– T'es vraiment nul, O'Malley, lança Sully en riant

quelque part derrière lui. Tu peux donc pas passer un jour sans tomber ?

– À mon avis, tu devrais voir un docteur, ajouta Anton.

– Peut-être qu'il est saoul, dit Sully, et leurs rires reprirent de plus belle, sauf à l'endroit silencieux, entre eux deux, là où Conor savait que Harry ne riait pas.

Car il savait sans avoir à se retourner que Harry l'observait, attendant de voir ce qu'il allait faire.

En se redressant, il aperçut Lily appuyée au mur de l'école. Elle était avec d'autres filles et rentrait à l'intérieur, à la fin de l'interclasse. Elle ne leur parlait pas, regardant seulement Conor par-dessus son épaule.

– Super Caniche ne vole pas à ton secours, aujourd'hui ? demanda Sully, toujours en riant.

– ça vaut mieux pour toi, Sully, lâcha Harry, qui parlait pour la première fois.

Conor ne s'était pas encore retourné, mais il devinait que Harry n'avait même pas souri de la plaisanterie de Sully. Conor observa Lily jusqu'à ce qu'elle disparaisse.

– Hé, regarde-nous quand on te parle, dit brusquement Sully, sans doute ulcéré par le commentaire de Harry, en empoignant l'épaule de Conor pour le forcer à pivoter.

– Ne le touche pas, dit Harry d'une voix basse et calme, mais si menaçante que Sully fit aussitôt un pas en arrière. O'Malley et moi on a un arrangement. Je suis le seul à pouvoir le toucher. C'est bien ça ?

Conor attendit un moment, puis hocha lentement la tête. Oui, ça ressemblait bien à une espèce d'arrangement.

Harry, impassible, les yeux toujours fixés sur ceux de Conor, fit deux pas vers lui. Conor ne broncha pas, et ils restèrent plantés face à face, tandis qu'Anton et Sully se jetaient des regards un peu inquiets.

Harry pencha légèrement la tête de côté, comme s'il venait de se poser une question et qu'il essayait de trouver la réponse. Conor ne bougeait toujours pas. Le reste des élèves était déjà rentré à l'intérieur. Il sentait le calme se répandre autour d'eux, même Anton et Sully n'osaient plus parler. Ils allaient devoir rentrer eux aussi. Ils devaient rentrer, maintenant.

Mais personne ne bougeait.

Harry leva le poing et prit son élan comme pour le balancer en plein dans la figure de Conor.

Celui-ci ne bougea pas, il ne tressaillit même pas. Il fixait simplement Harry, attendant le coup.

Et rien n'arriva.

Harry abaissa son poing, le laissant lentement retomber contre sa cuisse, sans quitter Conor des yeux.

– Oui, dit-il finalement, très tranquillement, comme s'il venait de comprendre quelque chose. C'est bien ce que je pensais.

Et alors, une nouvelle fois, la voix du Jugement dernier résonna :

– Hé, vous, les garçons ! appela Miss Kwan en

traversant la cour comme une furie. L'interclasse est terminée depuis trois minutes ! Qu'est-ce que vous faites encore ici ?

– Désolé, mademoiselle, répondit Harry d'un ton soudain très décontracté. Nous discutions avec Conor du devoir de Mrs Marl, « Histoires vécues », et nous avons perdu la notion du temps.

Il donna une claque sur l'épaule de Conor, comme s'ils étaient des amis d'enfance.

– Personne ne connaît des histoires comme celles de Conor. (Il hocha gravement la tête.) Et en parler l'aide à s'extérioriser.

– Mais oui, je vous crois, répliqua Miss Kwan en fronçant les sourcils. Premier avertissement. Encore un problème aujourd'hui, et c'est la retenue pour tous les quatre.

– Oui, mademoiselle, répondit Harry avec un grand sourire, Anton et Sully marmonnant la même chose.

Ils se dirigèrent vers leur salle de classe en traînant les pieds, un mètre derrière eux.

– Un instant, s'il te plaît, Conor, dit Miss Kwan.

Il s'arrêta et se tourna vers elle, mais sans la regarder.

– Tu es sûr que tout va bien entre toi et ces trois-là ? demanda Miss Kwan en mettant sa voix sur le mode « gentil », qui faisait à peine moins peur que son cri de guerre habituel.

– Oui, mademoiselle, répondit-il, toujours sans la regarder.

– Je ne suis pas aveugle, tu sais. Je vois bien comment Harry fonctionne. Et un tyran avec du charme et des bonnes notes reste toujours un tyran. Il finira probablement Premier Ministre un jour. Dieu nous aide, ajouta-t-elle avec un long soupir.

Conor ne dit rien. Le silence prit un aspect particulier, qu'il connaissait bien, provoqué par l'attitude compatissante de Miss Kwan.

Il savait ce qui allait venir. Il le savait et il détestait ça.

– J'ai du mal à imaginer ce que tu dois endurer, Conor, dit-elle à voix très basse, presque inaudible, mais si tu veux un jour en parler, ma porte te sera toujours ouverte.

Il ne pouvait pas la regarder, il ne pouvait pas voir sa gentillesse, il ne pouvait pas la *supporter* dans sa voix.

(Parce qu'il ne la méritait pas.)

(Le cauchemar surgit en un éclair, le hurlement et la terreur, et ce qui arrivait à la fin…)

– Je vais très bien, mademoiselle, marmonna-t-il en fixant ses chaussures. Je n'endure rien du tout.

Au bout d'une seconde, il entendit Miss Kwan soupirer de nouveau.

– Très bien, alors. Oublie ce premier avertissement et retourne en classe.

Elle lui donna une petite tape sur l'épaule et retraversa la cour.

Et, pendant un moment, Conor demeura complètement seul.

Il savait très bien qu'il pourrait probablement rester dehors toute la journée et que personne ne le punirait pour ça.

Ce qui, d'une certaine façon, n'arrangeait rien. Bien au contraire.

Petite conversation

Après l'école, sa grand-mère l'attendait assise sur le canapé.

– Nous avons à parler, dit-elle avant même qu'il ait refermé la porte, et elle le regardait avec un air qui le figea

Un air qui lui retourna l'estomac.

– Qu'est-ce qui se passe ? demanda-t-il.

Sa grand-mère prit une longue et bruyante inspiration et jeta un regard par la fenêtre, comme pour se concentrer. Elle ressemblait à un oiseau de proie. À un aigle capable d'emporter un mouton.

– Ta maman doit retourner à l'hôpital, dit-elle enfin. Tu vas venir chez moi pendant quelques jours. Tu vas devoir préparer un sac.

Conor restait sans bouger.

– Pourquoi, elle ne va pas bien ?

Sa grand-mère écarquilla les yeux pendant une seconde, comme si elle avait du mal à croire qu'il puisse poser une question aussi grotesque. Puis elle s'adoucit.

– Elle souffre beaucoup. Plus qu'elle ne devrait.

– Elle a des médicaments contre la douleur…, commença Conor, mais sa grand-mère claqua dans ses mains, juste une fois, mais très fort, assez fort pour l'arrêter.

– Cela ne marche pas, Conor, dit-elle sèchement, en regardant au-dessus de sa tête. Cela ne marche pas, répéta-t-elle.

– Qu'est-ce qui ne marche pas ?

Sa grand-mère tapota ses doigts les uns contre les autres, plusieurs fois, comme une sorte d'exercice, puis elle regarda encore par la fenêtre, les lèvres toujours pincées. Elle se leva finalement, lissant sa jupe d'un air distrait.

– Ta maman est en haut. Elle veut te parler.

– Mais…

– Ton père arrive dimanche en avion.

Conor se raidit soudain.

– *Papa* vient ?

– Je dois donner quelques coups de fil, dit-elle en sortant, le téléphone à la main

– Mais pourquoi est-ce que papa vient ? demanda-t-il.

– Ta maman t'attend.

Elle referma la porte derrière elle.

Conor n'avait même pas encore eu le temps de poser son sac.

Son père arrivait. Son père. D'Amérique. Qui n'était pas venu depuis l'avant-dernier Noël. Dont la nouvelle femme semblait toujours avoir des problèmes de dernière minute qui l'empêchaient de venir plus souvent, surtout depuis la naissance du bébé. Son père, que Conor s'était habitué à ne plus voir ni entendre, les voyages se faisant moins fréquents et les coups de fil plus espacés.

Son père arrivait.

Pourquoi ?

– Conor ?

Sa mère l'appelait.

Elle n'était pas dans sa chambre. Elle était dans la sienne à lui, couchée sur le lit, par-dessus le duvet, son regard tourné vers la fenêtre qui donnait sur le cimetière et la colline.

Et l'if.

– Coucou, mon chéri, dit-elle avec un sourire mais sans bouger, et il voyait bien aux ombres qui cernaient ses yeux qu'elle souffrait vraiment, comme une fois seulement il l'avait vue souffrir.

Elle avait aussi dû aller à l'hôpital alors, et elle n'en était pas ressortie pendant deux semaines. C'était à Pâques, et les quinze jours que Conor avait dû passer chez sa grand-mère avaient bien failli les rendre fous tous les deux.

– Qu'est-ce qui se passe ? demanda-t-il. Pourquoi retournes-tu à l'hôpital ?

Elle tapota sur le duvet pour qu'il vienne s'asseoir à côté d'elle.

Il resta là où il était.

– Qu'est-ce qui ne va pas ?

Elle souriait toujours, mais les lèvres crispées maintenant, tandis qu'elle promenait ses doigts sur les motifs brodés du duvet, des grizzlys. Elle avait noué son foulard à roses rouges autour de sa tête, mais sans serrer, et il voyait son crâne livide au milieu. À son avis, elle n'avait même pas dû faire semblant d'essayer l'une des perruques de grand-mère.

– Tout ira bien, dit-elle. Je t'assure.

– Vraiment ?

– Nous en sommes déjà passés par là, Conor. Alors ne t'en fais pas. Je me sentais vraiment mal, j'y suis allée et ils s'en sont occupés. Ce sera la même chose cette fois encore.

Elle redonna deux petites tapes sur le duvet.

– Tu ne veux vraiment pas venir t'asseoir près de ta vieille maman fatiguée ?

Cette fois son sourire était plus gai et, il le voyait bien, plus vrai. Conor se racla la gorge, puis s'avança et s'assit près d'elle, du côté qui faisait face à la fenêtre. Elle lui passa une main dans les cheveux, relevant la mèche qui tombait sur ses yeux, et il remarqua comme son bras était décharné, pas beaucoup plus que de la peau sur les os.

– Pourquoi est-ce que papa vient ? demanda-t-il.

Sa mère s'arrêta, puis reposa sa main sur son ventre.

– Cela fait un bon bout de temps que tu ne l'as pas vu. Tu n'es pas content ?

– Grand-mère n'a pas l'air si contente, elle.

Sa mère gloussa.

– Oh, tu connais ses sentiments vis-à-vis de papa. Ne fais pas attention à elle. Profite de sa visite.

Ils restèrent silencieux un moment, puis Conor demanda :

– Il y a quelque chose d'autre… Je me trompe ?

Elle se rassit un peu plus droite contre son oreiller.

– Regarde-moi, mon chéri, dit-elle doucement.

Il tourna la tête pour la dévisager, même pour tout l'or du monde il aurait préféré ne pas le faire.

– … Ce dernier traitement ne donne pas les résultats attendus. Ce qui veut dire qu'ils vont devoir l'ajuster, essayer autre chose.

– Et c'est tout ?

– Oui, c'est tout. Il leur reste encore des tas de traitements à essayer. C'est normal.

– Tu es sûre ?

– Sûre.

– Parce que…

Conor s'arrêta une seconde et fixa le plancher.

– Parce que tu peux me le dire, tu sais…

Alors il sentit ses bras l'entourer, ses bras si maigres, autrefois si doux quand elle le serrait contre elle. Elle ne dit rien, elle le tenait juste entre ses bras. Il dirigea son regard vers la fenêtre et, au bout d'un moment, elle tourna la tête elle aussi.

– C'est un if, tu sais…, dit-elle finalement.

Conor leva les yeux au plafond, mais répondit gentiment :

– Oui, maman, tu me l'as déjà dit des centaines de fois.

– Garde un œil sur lui pendant que je serai partie, tu veux ? Qu'il soit bien encore là quand je reviendrai.

Et Conor comprit que c'était sa façon à elle de lui dire qu'elle *allait* revenir, alors il se contenta d'acquiescer et ils continuèrent tous deux à observer l'arbre.

Qui resta un arbre, même au bout d'un long, long moment.

La maison de grand-mère

Cinq jours. Le monstre n'était pas venu depuis cinq jours.

Peut-être qu'il ne savait pas où habitait grand-mère. Ou peut-être que c'était simplement trop loin pour lui. De toute façon, elle n'avait pas grand-chose comme jardin, même si sa maison était dix fois plus grande que celle de Conor et de sa mère. Son jardin, en plus, elle l'avait bourré de tas de trucs – des abris et une mare en pierre et un « bureau » en bois où elle faisait le plus gros de son travail d'agent immobilier, un travail tellement ennuyeux quand elle le lui expliquait que Conor décrochait systématiquement au bout d'une phrase ou deux. Partout ailleurs, ce n'était rien que des allées en brique et des fleurs en pots. Pas de place pour un arbre. Il n'y avait même pas d'herbe.

– Ne reste donc pas là à bayer aux corneilles, jeune homme, dit sa grand-mère par la porte du jardin tout en s'attachant une boucle d'oreille. Ton père arrive bientôt et je vais voir ta maman.

– Je ne bayais pas aux corneilles, marmonna Conor.

– Et alors ? Rentre donc à l'intérieur.

Il la suivit en traînant des pieds. On était dimanche, le jour où son père devait arriver de l'aéroport. Il devait aller prendre Conor, ils iraient voir sa maman et puis ils passeraient un peu de temps père-fils ensemble. Conor était presque certain que c'était un prétexte pour une autre séance de « petite conversation ».

Sa grand-mère ne serait pas là quand son père arriverait. Ce qui arrangeait tout le monde.

– Enlève ton sac à dos de l'entrée, s'il te plaît, dit-elle en prenant son propre sac à main. Pas la peine qu'il pense que je te fais vivre dans une porcherie.

– Risque pas…, grommela-t-il pendant qu'elle vérifiait son rouge à lèvres dans le miroir du hall.

La maison de grand-mère était plus propre que la chambre d'hôpital de sa maman. La femme de ménage, Marta, venait le mercredi, mais Conor ne voyait franchement pas pourquoi. Sa grand-mère passait l'aspirateur au saut du lit, elle faisait la lessive quatre fois par semaine et, une fois, elle avait nettoyé la baignoire à minuit avant d'aller se coucher. Elle ne laissait même pas les plats frôler l'évier sur la route du lave-vaisselle. Un jour encore, elle avait enlevé à Conor son assiette alors qu'il n'avait pas terminé.

– Si une femme de mon âge, toute seule à la maison, ne garde pas la situation en main, qui le fera ? répétait-elle au moins une fois par jour, et sur un ton tel que Conor n'avait jamais vraiment cherché à lui répondre.

Elle le conduisait à l'école, et il arrivait en avance tous les jours sans exception, alors que le trajet prenait bien quarante-cinq minutes. Elle l'attendait aussi chaque jour après les cours, et ils partaient directement voir sa maman à l'hôpital. Ils restaient une heure ou deux, moins si elle était trop fatiguée pour bavarder, ce qui était arrivé deux fois les cinq derniers jours. Puis ils rentraient chez sa grand-mère où elle lui faisait faire ses devoirs en commandant un plat cuisiné différent de tous ceux qu'ils avaient déjà eus dans la semaine.

C'était comme l'été où Conor et sa maman avaient séjourné dans un *Bed & Breakfast* en Cornouailles. Mais en plus propre. Et avec plus de travail.

— Maintenant, Conor…, dit-elle en enfilant sa veste.

On était dimanche, elle n'avait pas de maisons à faire visiter, alors il ne voyait pas bien pourquoi elle devait s'habiller comme ça, pour aller à l'hôpital. Probablement histoire de mettre son père mal à l'aise, ou quelque chose de ce genre.

— … Ton père n'a peut-être pas remarqué à quel point ta mère est fatiguée. Alors, nous allons devoir faire en sorte qu'il ne prolonge pas exagérément son séjour.

Elle s'étudia une dernière fois dans le miroir et ajouta à voix basse :

— … À supposer que la question se pose vraiment.

Elle se retourna, lui fit un bref signe de main et dit :

– Sois sage.

La porte se referma derrière elle en claquant.

Conor était seul dans sa maison.

Il monta dans la chambre d'amis où il dormait. Sa grand-mère disait toujours « sa » chambre, mais lui ne l'avait jamais appelée autrement que la chambre d'amis, ce qui provoquait haussements d'épaules et grommellements chez sa grand-mère.

Mais qu'espérait-elle ? Elle ne ressemblait absolument pas à sa chambre. Elle ne ressemblait à la chambre de personne, et sûrement pas à celle d'un garçon. Les murs étaient blancs, et nus sauf trois gravures de voilier, sans doute tout ce que sa grand-mère avait réussi à imaginer des goûts des garçons. Les draps et la housse de couette étaient d'un blanc tout aussi éblouissant, et le seul autre meuble était un buffet en chêne tellement grand qu'on aurait pu déjeuner dessus.

Cette chambre aurait pu être celle de n'importe quelle maison sur n'importe quelle planète. Il n'aimait pas y être, même pour échapper à sa grand-mère. Il venait seulement d'y monter pour prendre un livre, étant donné qu'elle interdisait les jeux vidéo dans sa maison. Il en tira un de son sac à dos et se prépara à ressortir en jetant un regard par la fenêtre.

Le jardin, rien que des allées en pierre, des abris et le bureau.

Aucune créature qui ne lui retourne son regard.

Le salon était l'un de ces salons où personne ne s'assoit jamais vraiment. Conor n'était d'ailleurs jamais autorisé à y aller, au cas où il ferait une tache sur les coussins. Bien sûr, c'est là qu'il alla s'asseoir en attendant son père.

Il se laissa tomber dans le canapé, qui avait des pieds en bois incurvés si minces, on aurait dit des hauts talons. Il y avait aussi un buffet rempli d'assiettes sur présentoir et de tasses à thé aux bords tellement tarabiscotés qu'il ne devait pas être facile d'y boire sans se couper les lèvres. Au-dessus de la cheminée, sa grand-mère avait accroché son horloge préférée, que personne à part elle n'avait le droit de toucher. Elle l'avait héritée de sa propre mère, et parlait depuis des années de l'emporter au Salon des antiquités pour la faire expertiser. Il y avait un vrai balancier dessous et elle carillonnait, tous les quarts d'heure, assez fort pour vous faire sursauter si vous n'étiez pas habitué.

Toute la pièce était comme un musée de la vie quotidienne d'autrefois. Il n'y avait même pas la télé. Le seul poste était dans la cuisine et elle ne l'allumait pratiquement jamais.

Il se mit à lire. Que pouvait-il faire d'autre ?

Il avait espéré parler avec son père avant qu'il prenne l'avion, mais entre les visites à l'hôpital, le décalage horaire et les perpétuelles migraines de sa nouvelle femme, ils n'avaient pu se joindre au téléphone.

Conor jeta un coup d'œil sur l'horloge à balancier. Douze heures quarante-deux indiquaient les aiguilles. Elle sonnerait dans trois minutes.

Trois minutes de vide, silencieuses.

Il se rendit compte à quel point il était nerveux.

Cela faisait des lustres qu'il n'avait pas vu son père en chair et en os, pas juste sur Skype. Est-ce qu'il aurait l'air différent ? Est-ce que Conor aurait l'air différent ?

Et puis, il y avait les autres questions.

Pourquoi venait-il maintenant ? Sa mère n'avait vraiment pas bonne mine, pire même après cinq jours à l'hôpital, mais elle restait confiante quant aux nouveaux médicaments. Noël était encore loin et l'anniversaire de Conor déjà passé. Alors pourquoi maintenant ?

Il contempla le parquet, couvert au milieu par un tapis ovale ancien, sûrement très cher. Il se pencha pour en soulever le bord, étudiant les lames polies en dessous. L'une d'elles avait un nœud. Il y passa les doigts mais la planche était si vieille et si lisse qu'on ne sentait aucune différence entre le nœud et le reste.

– Hé, tu es là-dedans ? chuchota Conor.

Il sursauta au ding-dong de la sonnette. Il se redressa et sortit du salon en courant presque, bien plus excité qu'il ne l'aurait pensé. Il ouvrit la porte d'entrée.

Son père était là, l'air à la fois complètement différent et exactement le même.

– Salut, fiston ! dit-il avec cet accent un peu étrange qu'il avait fini par prendre en Amérique.

Conor sourit comme il n'avait plus souri depuis au moins un an.

Champion

– Comment tu t'en sors, champion ? demanda son père en attendant que la serveuse apporte leurs pizzas.

– Champion ? répéta Conor en haussant les sourcils d'un air interloqué.

– Désolé, dit-il avec un sourire un peu honteux, en jouant avec son verre de vin. Tu sais, en Amérique, c'est presque une autre langue.

– Chaque fois qu'on se reparle, ta voix sonne plus bizarrement.

– Ouais, peut-être… En tout cas, c'est bon de te revoir.

Conor avala une gorgée de Coca. Sa maman n'était vraiment pas bien quand ils avaient été la voir à l'hôpital. Ils avaient dû attendre que sa grand-mère l'aide à sortir des toilettes, et elle était tellement épuisée qu'elle avait tout juste pu dire « Bonjour, mon chéri » à Conor, et « Salut, Liam » à son père avant de se rendormir. Sa grand-mère les avait poussés dehors quelques instants après, avec une mine qui n'encourageait pas franchement à la discussion.

– Ta mère est une… euh…, commença son père en plissant les yeux sans regarder quelque chose de précis. C'est une battante, non ?

Conor haussa les épaules.

– … Et toi, comment tu t'en sors, fiston ?

– Ça doit faire la cinq centième fois que tu me le demandes depuis ton arrivée, répondit-il.

– Excuse-moi, dit son père.

– Je vais très bien. Maman suit son nouveau traitement. Elle ira bientôt mieux. Elle a l'air mal en point, mais ce n'est pas la première fois. Pourquoi est-ce que tout le monde se comporte comme si… ?

– Tu as raison, fiston. Tu as tout à fait raison, dit son père en faisant tourner son verre sur la table. Quand même… Tu vas devoir être courageux pour elle, Conor. Tu vas devoir être vraiment très, très courageux.

– Tu parles comme à la télé américaine.

Il se mit à rire doucement.

– Ta sœur va très bien. Elle marche presque, maintenant.

– Demi-sœur, corrigea Conor.

– J'espère que tu la verras bientôt. On va organiser cela. Peut-être même pour Noël. Ça te plairait ?

Il regarda son père dans les yeux.

– Et maman ?

– J'en ai parlé avec ta grand-mère. Elle a l'air de

trouver l'idée pas si mauvaise que ça, du moment que tu rentres à temps pour le second trimestre.

Conor fit glisser une main sur le rebord de la table.

– Alors ce serait juste une visite ?

– Que veux-tu dire ? fit son père, apparemment surpris. Une visite, plutôt que…

Il laissa sa question en suspens, et Conor vit qu'il venait de comprendre.

– Conor…

Mais il ne voulait plus que son père finisse maintenant.

– Il y a un arbre qui vient régulièrement me voir, dit-il très vite, en commençant à arracher l'étiquette de la bouteille de Coca. Il vient la nuit à la maison, il me raconte des histoires.

Son père cligna des yeux d'un air ahuri.

– Quoi ?

– Je croyais que c'était un rêve, au début, dit Conor en grattant l'étiquette avec l'ongle de son pouce. Mais à mon réveil, je trouvais chaque fois des aiguilles et des petits arbres qui poussaient sur le plancher. J'ai tout caché pour que personne ne les découvre.

– Conor…

– Il n'est pas encore venu à la maison de grand-mère. Je pensais que peut-être elle habitait trop loin…

– Qu'est-ce que tu… ?

– Mais qu'est-ce que ça pourrait lui faire si c'était un rêve ? Pourquoi un rêve ne pourrait-il pas traverser la ville à pied ? Un rêve aussi vieux que la terre et aussi grand que le monde.

– Conor, écoute, arrête un peu…

– Je ne veux pas habiter chez grand-mère, dit-il d'une voix soudain plus forte, la gorge obstruée par une boule qui semblait prête à l'étouffer.

Son regard était rivé sur l'étiquette du Coca, son ongle épluchant méthodiquement le papier mouillé.

– Pourquoi est-ce que je ne peux pas venir habiter chez toi ? Pourquoi est-ce que je ne peux pas venir en Amérique ?

Son père passa la langue sur ses lèvres sèches.

– Tu veux dire quand…

– La maison de grand-mère, c'est une maison de vieille bonne femme.

Son père eut un nouveau petit rire.

– Je ne manquerai pas de lui dire que tu l'as traitée de vieille bonne femme.

– On ne peut rien toucher, ni s'asseoir nulle part. Tu ne peux rien laisser traîner, même pas deux secondes. Elle a Internet uniquement dehors dans son bureau, et je n'ai pas le droit d'y entrer.

– Je suis sûr qu'on peut lui parler de ces problèmes, qu'il y a des tas de moyens pour te faciliter la vie, la rendre plus confortable.

– Je ne veux pas d'une vie confortable là-bas ! répliqua Conor en haussant la voix. Je veux ma chambre à moi dans ma maison à moi.

– Tu ne l'aurais pas en Amérique. On a tout juste

assez de place pour nous trois, fiston. Ta grand-mère a beaucoup plus d'argent et d'espace que nous. Et puis, tu as ton école ici, tes amis sont ici, toute ta vie est ici. Ce serait injuste de t'arracher à tout cela.

– Injuste pour qui ? demanda Conor.

– C'est ce que je voulais dire, soupira son père. C'est ce que je sous-entendais quand j'ai dit que tu allais devoir te montrer courageux.

– C'est ce que tout le monde dit. Comme si ça signifiait vraiment quelque chose.

– Je suis désolé. Je sais que cela te semble vraiment injuste, et j'aimerais tant que ce soit autrement…

– Vraiment ?

– Évidemment, répliqua son père en se penchant par-dessus la table. Mais c'est mieux ainsi. Tu verras.

Conor se racla la gorge, sans croiser son regard. Puis il déglutit péniblement.

– Est-ce qu'on pourra en parler plus longuement quand maman ira mieux ?

Son père se rassit lentement sur sa chaise.

– Bien sûr, champion. C'est exactement ce que je comptais faire.

Conor le fixa.

– Champion ?

– Ah, désolé, s'excusa son père avec un sourire.

Il leva son verre et but une gorgée assez longue pour le vider en entier. Il le reposa avec un petit claquement de langue, puis jeta un regard interrogateur à Conor.

– Qu'est-ce que tu me racontais, au juste, avec cette histoire d'arbre ?

Mais la serveuse arriva et le silence retomba pendant qu'elle déposait les pizzas devant eux.

Conor fronça les sourcils en observant la sienne.

– Pizza Americano... Si elle parlait, je me demande si elle aurait le même accent que toi.

Les Américains n'ont pas
beaucoup de vacances

– On dirait que ta grand-mère n'est pas encore rentrée, dit le père de Conor en garant la voiture de location devant sa maison.

– Elle retourne quelquefois à l'hôpital quand je suis au lit, expliqua Conor. Les infirmières la laissent dormir dans un fauteuil.

Son père hocha la tête.

– Elle ne m'aime peut-être pas, mais cela n'en fait pas une méchante femme pour autant.

Par la vitre, Conor étudiait la maison.

– Combien de temps vas-tu rester ?

Il avait eu peur de poser la question jusqu'ici.

Son père poussa un long soupir, le genre de soupir qui annonçait l'arrivée de mauvaises nouvelles.

– Juste quelques jours, malheureusement.

Conor se tourna vers lui.

– C'est tout ?

– Les Américains n'ont pas beaucoup de vacances.

– Mais tu n'es pas américain !

– Non, mais je vis là-bas, maintenant. (Et, avec un sourire :) Tu t'es bien moqué de mon accent toute la soirée.

– Pourquoi tu es venu, alors ? Pourquoi prendre la peine de venir ?

Son père attendit un instant avant de répondre :

– Je suis venu parce que ta maman me l'a demandé.

Il eut l'air de vouloir ajouter quelque chose, mais non.

Conor ne dit rien non plus.

– … Mais je vais revenir. Quand il le faudra. Et puis… (Sa voix se fit plus légère) Tu viendras nous voir à Noël ! On va bien s'amuser, tu verras !

– Dans votre maison minuscule où il n'y a pas de place pour moi…

– Conor…

– Et ensuite je reviendrai pour l'école…

– Co…

– Pourquoi est-ce que tu es venu ? demanda-t-il une nouvelle fois, à voix basse.

Son père ne répondit pas. Un silence pesant s'installa dans la voiture, comme s'ils étaient assis sur les deux bords opposés d'un canyon. Alors son père tendit la main vers son épaule, mais Conor l'évita, tirant sur la poignée de la portière pour sortir.

– Conor, attends…

Il attendit mais sans se retourner.

– Tu veux que j'entre et que je l'attende avec toi ? Pour te tenir compagnie ?

— Je suis très bien tout seul, répliqua-t-il, et il sortit de la voiture.

À l'intérieur, la maison était silencieuse. Évidemment.

Il était seul.

Il se laissa tomber une nouvelle fois sur le canapé hors de prix, l'écoutant craquer lorsqu'il s'affala. Un bruit tellement agréable qu'il se leva et s'y laissa retomber. Puis il se releva et sauta dessus à pieds joints. Les pieds en bois gémirent, se déplacèrent de plusieurs centimètres, laissant quatre griffures identiques sur le parquet en bois dur.

Il sourit. C'était vraiment très, très agréable.

Il se remit debout d'un bond et donna un coup de pied au canapé pour le repousser encore plus loin. Il ne se rendait pas compte à quel point il respirait bruyamment. Sa tête le brûlait, comme s'il avait eu de la fièvre. Il s'apprêta à donner un nouveau coup de pied au canapé.

Puis il leva les yeux et vit la pendule.

La précieuse pendule de sa grand-mère, suspendue au-dessus de la cheminée, son balancier oscillant de gauche à droite, de droite à gauche, comme s'il avançait par lui-même, menait sa propre vie, sans se préoccuper de rien, et sûrement pas de Conor.

Il s'approcha, les poings serrés. Dans quelques instants, la pendule allait sonner le *bong bong bong* des neuf heures. Conor attendit que la grande aiguille atteigne le douze. À l'instant même où le premier *bong* allait résonner, il attrapa le balancier et le retint au plus haut de son mouvement.

Il entendit le mécanisme gémir alors que le *b* du *bong* interrompu planait dans l'air. Conor tendit sa main libre et poussa l'aiguille des minutes et la trotteuse après le douze. Elles résistèrent, mais il poussa plus fort. Il y eut un grand clic sinistre. Les aiguilles se libérèrent soudain de ce qui les bloquait, et Conor les fit tourner sur le cadran, rattrapant l'aiguille des heures et l'emportant avec elles, provoquant d'autres petits *bong* gémissants et de nouveaux clics douloureux au plus profond de la caisse en bois.

Il sentait des gouttes de sueur mouiller son front. Sa poitrine brûlait comme un barbecue rempli de braises.

(presque comme dans le cauchemar, le même monde fiévreux et brumeux qui dérapait de son axe mais, cette fois, c'était lui qui contrôlait le chaos, cette fois, c'était lui le cauchemar)

L'aiguille des secondes, la plus fine des trois, cassa brusquement et tomba du cadran, rebondissant une fois sur le tapis avant de disparaître dans les cendres du foyer.

Conor fit un rapide pas en arrière, lâchant le balancier. Le poids revint au centre, puis un peu à gauche, un peu à droite, et finalement s'immobilisa. Quant à la pendule, ses aiguilles semblaient gelées sur place. Elle n'émettait plus aucun des tic-tac, plus aucun de ses ronflements habituels.

Ouach.

Conor réalisa ce qu'il avait fait et son estomac commença à se serrer.

Oh, non.

Non.

Il l'avait cassée.

Une pendule qui valait sans doute plus cher à elle toute seule que la vieille voiture cabossée de sa maman.

Sa grand-mère allait le tuer, peut-être, oui, vraiment le tuer.

Et puis il s'arrêta.

Les aiguilles, des heures et des minutes, s'étaient arrêtées sur une position bien précise.

00h07.

Question destruction, fit le monstre derrière lui, *tout ceci est remarquablement pitoyable.*

Conor pivota. Le monstre, comment il avait fait pour entrer, être là, dans le salon de sa grand-mère. Il était beaucoup trop énorme, évidemment, et devait se pencher très, très bas pour passer sous le plafond, ses branches et ses aiguilles incroyablement serrées et entortillées pour réduire sa masse, mais il était bien là, remplissant le moindre recoin.

Voilà bien le genre de destruction à attendre d'un garçon, dit-il, son souffle repoussant les cheveux de Conor.

– Qu'est-ce que tu fais là, demanda le garçon, sentant monter une soudaine vague d'espoir. Est-ce que je me suis endormi ? Est-ce un rêve ? Comme quand tu as cassé la fenêtre de ma chambre et que je me suis réveillé et que…

Je suis venu te raconter une deuxième histoire, dit le monstre.

Conor poussa un long soupir et jeta un regard sur la pendule.

– Ah, oui ? Et aussi nulle que la première ? demanda-t-il d'un ton indifférent.

Elle s'achève par une vraie destruction, si c'est ce que tu me demandes.

Conor se retourna vers le monstre, découvrant une expression qu'il connaissait bien – son sourire diabolique.

– Avec une fin en queue de poisson ? insista-t-il. Le genre qui semble prendre une direction, puis en fait part dans un sens totalement opposé ?

Non. C'est l'histoire d'un homme qui ne pensait qu'à lui-même.

Le monstre sourit à nouveau, d'un sourire encore plus méchant.

Et il reçoit sa punition. Une dure, très dure punition.

Conor resta muet un instant, cherchant son souffle, pensant à la pendule cassée, aux éraflures sur le parquet, aux baies toxiques qui tombaient du monstre sur le parquet ciré de sa grand-mère.

Il pensa à son père.

– Je t'écoute, dit-il.

La deuxième histoire

Il y a cent cinquante ans, commença le monstre, *cet endroit est devenu une région industrielle. Les usines poussaient comme des mauvaises herbes dans le paysage. Les arbres furent abattus, les prés ravagés, les rivières noircies. Le ciel était obscurci par la fumée et les cendres, et les gens aussi ; ils passaient leurs journées à tousser et à se gratter, les yeux sans cesse fixés vers le sol. Les villages se transformèrent en villes, les villes en grandes villes. Et les gens commencèrent à vivre sur la terre et non plus dedans.*

Mais il restait encore du vert, pour ceux qui savaient regarder.

(Le monstre ouvrit les mains, et un épais brouillard pénétra dans le salon de la grand-mère. Lorsqu'il s'éclaircit, Conor et le monstre se tenaient dans une prairie verdoyante, dominant une vallée de métal et de briques.)

(— Donc, je suis *vraiment* endormi, dit Conor.)

(*Silence,* dit le monstre. *Le voilà.*)

(Et il vit un homme en lourds habits noirs, avec

106

une mine lugubre et un pli très, très profond creusé sur le front, gravir la colline dans leur direction.)

À la lisière de cette tache de verdure vivait un homme. Son nom n'a pas d'importance, car personne ne s'en est jamais servi. Les villageois l'ont toujours appelé l'Apothicaire.

(— Le *quoi* ? demanda Conor.)

(*L'Apothicaire*, répéta le monstre.)

(— L'Apo... quoi ?)

Apothicaire était un mot ancien, même à l'époque, pour désigner un pharmacien.

(— Ah, bon. Alors pourquoi l'appeler comme ça ?)

(*Parce que ce nom lui allait bien, car les apothicaires étaient des gens de l'ancien temps, qui connaissaient les secrets de la vieille médecine. Les herbes et les écorces, les préparations à base de feuilles et de baies.*)

(— La nouvelle femme de papa fait cela, dit Conor en regardant l'homme déterrer une racine. Elle a une boutique de cristaux.)

(Le monstre fronça les sourcils. *Cela n'a strictement rien à voir.*)

Plusieurs fois par jour, l'Apothicaire partait récolter les herbes et les feuilles des environs. Mais les années passant, ses marches se firent de plus en plus longues, tandis que les usines et les routes s'étendaient hors de la ville comme les éruptions de boutons qu'il savait si bien soigner. Alors qu'il avait l'habitude de récolter le parsifeuil et la bellarosa avant même de prendre son thé du matin, il lui fallait maintenant toute une journée.

Le monde changeait, et l'Apothicaire devint amer. C'est-à-dire, plus amer, car il avait toujours eu un caractère désagréable. Il était cupide et demandait trop d'argent pour ses soins, souvent bien plus que le patient ne pouvait se le permettre. Pourtant, il était surpris de voir à quel point les villageois l'aimaient peu et estimait qu'ils auraient dû le traiter avec bien plus de respect. Mais comme il se comportait mal avec eux, ils se comportaient mal avec lui jusqu'à ce que, avec le temps, ses patients commencent à chercher d'autres remèdes, plus modernes, chez d'autres guérisseurs, plus modernes aussi. Ce qui, évidemment, rendit l'Apothicaire encore plus amer.

(Le brouillard les enveloppa de nouveau, et la scène changea. Ils se tenaient maintenant sur une pelouse, au sommet d'une petite butte. Un presbytère se dressait d'un côté, avec un immense if planté au milieu de quelques pierres tombales récentes.)

Dans le village de l'Apothicaire vivait aussi un pasteur...

(– C'est la colline derrière ma maison, coupa Conor.

Il regarda autour de lui, mais il n'y avait pas encore de voie ferrée, pas de rangées de maisons, juste quelques sentiers et un lit de rivière boueux.)

Le pasteur avait deux filles, poursuivit le monstre, *qui étaient la lumière de sa vie.*

Les deux petites filles sortirent du presbytère en criant, gloussant et riant, et en s'envoyant des poignées d'herbe. Elles coururent autour du tronc de l'if en jouant à cache-cache.

(– C'est toi, dit Conor en désignant l'arbre, qui pour le moment n'était qu'un arbre.)

Oui, dans l'enclos du presbytère poussait également un if.

(*Et un très bel if, ma foi*, ajouta le monstre.)

(– Si c'est toi qui le dis…)

Or, l'Apothicaire convoitait l'if plus que tout.

(– Vraiment ? Et pourquoi cela ?)

(Le monstre eut l'air surpris. *Mais… l'if est le plus important de tous les arbres guérisseurs. Il vit pendant des milliers d'années. Ses baies, son écorce, ses aiguilles, sa sève, sa pulpe, son bois, tout cela est un concentré de vie. Il peut soigner presque tous les maux dont souffre l'homme, par des potions préparées et administrées par un bon apothicaire.*)

(Conor plissa le front. – Là, tu inventes.)

(Le visage du monstre se fit menaçant. *Tu oses mettre ma parole en doute, mon garçon ?*)

(– Non, pas du tout, fit Conor en reculant d'un pas devant sa colère. C'est juste que je n'en avais jamais entendu parler avant.)

(Le monstre garda les sourcils froncés encore un moment, puis il reprit son histoire.)

Pour pouvoir récolter toutes ces choses, l'Apothicaire devait abattre l'if. Et le pasteur ne voulait pas en entendre parler. L'arbre occupait cette place bien avant le presbytère. Le cimetière commençait déjà à accueillir des tombes et la construction d'un nouveau bâtiment paroissial était en préparation. L'if protégerait l'église des grosses averses et des intempéries, et l'Apothicaire avait beau le lui demander bien souvent, chaque fois le pasteur lui interdisait même d'approcher l'if.

En fait, ce pasteur était un homme bon, et même un homme cultivé. Il voulait ce qu'il y avait de mieux pour ses fidèles, et les sortir des ténèbres de la superstition et de la sorcellerie. Il prêchait contre les vieilles méthodes de l'Apothicaire, des sermons très bien accueillis par son auditoire, vu le caractère exécrable et la cupidité de l'Apothicaire. L'homme devint encore plus amer, et ses affaires allèrent de mal en pis.

Mais, un jour, les filles du pasteur tombèrent malades. D'abord la première, puis la seconde, d'une infection qui ravageait toute la campagne.

(Le ciel s'assombrit, et Conor entendit les petites filles tousser dans le presbytère, il entendit également le pasteur prier à voix haute et la femme du pasteur qui pleurait.)

Rien de ce qu'il tenta ne réussit. Ni les prières, ni les médicaments du médecin moderne deux villes plus loin, ni les remèdes des champs offerts timidement et secrètement par ses paroissiens. Rien. Ses deux filles s'affaiblissaient et la mort approchait. Finalement, il n'y eut plus d'autre solution que de solliciter l'Apothicaire. Il ravala donc sa fierté et partit demander son pardon.

« Aiderez-vous mes filles ? demanda le pasteur, age-nouillé devant la porte de l'Apothicaire. Ne pensez pas à moi, mais à deux innocentes petites filles. »

« Et pourquoi donc ? répondit-il. Vous avez ruiné mon

commerce avec vos sermons. Vous m'avez refusé l'if, ma meilleure source de remèdes. Vous avez monté ce village contre moi.

« Vous pouvez avoir l'if, dit le pasteur. Et je ferai des sermons en votre faveur. Je vous enverrai mes paroissiens pour le moindre de leurs maux. Je vous donnerai tout ce que vous voulez, si vous parvenez à sauver mes filles.

L'Apothicaire était très surpris.

« Vous abandonneriez toutes vos convictions ?

« Si cela pouvait sauver mes filles, j'abandonnerais tout.

« Alors, je ne peux rien faire pour vous, dit l'Apothicaire en refermant sa porte au nez du pasteur.

(– Quoi ? s'exclama Conor.)

La même nuit, les deux filles du pasteur moururent.

(– Quoi ? répéta Conor, le sentiment de cauchemar lui tordant à nouveau les tripes.)

Et cette nuit-là, je suis venu.

(– Bien, s'écria Conor, ce rat méritait une sacrée correction !)

(C'est ce que j'ai pensé, moi aussi, dit le monstre.)

Quelques minutes après minuit, j'ai arraché le presbytère de ses fondations.

La suite de
la deuxième histoire

Conor se retourna.

– Le presbytère ?

Oui, dit le monstre. *J'ai balancé le toit dans le vallon et j'ai abattu chaque mur de la maison avec mes poings.*

Le presbytère se trouvait encore devant eux, et Conor vit l'if-monstre, à côté, s'animer et attaquer furieusement la maison. Au premier coup sur le toit, la porte d'entrée s'ouvrit à la volée, et le pasteur et sa femme s'enfuirent terrorisés. Le monstre leur lança la toiture, les manquant d'un cheveu.

– Mais que fais-tu ? demanda Conor. L'Apoma-chintruc, c'est lui, le méchant !

Ah, vraiment ? dit le monstre derrière lui.

Il y eut un grand craquement quand le monstre de l'histoire fit s'écrouler la façade du presbytère.

– Mais bien sûr que si ! Il a refusé de soigner les filles du pasteur ! Et elles sont mortes !

Le pasteur avait refusé de croire que l'Apothicaire pouvait soigner les gens. Quand tout allait bien, il l'a pratiquement ruiné, et quand le temps des épreuves est venu, il était prêt à abandonner toutes ses croyances pour sauver ses filles.

— Et alors ? Comme n'importe qui ! Comme tout le monde ! Que voulais-tu qu'il fasse d'autre ?

J'aurais voulu qu'il donne l'if à l'Apothicaire quand celui-ci le lui a demandé la première fois.

Conor en resta bouche bée. De nouveaux craquements résonnèrent avec l'effondrement d'un autre mur.

— Tu te serais laissé tuer ?

Je suis bien plus qu'un simple arbre. Mais, oui, j'aurais laissé l'if se faire abattre. Pour permettre de sauver les filles du pasteur. Et beaucoup, beaucoup d'autres malades encore, d'ailleurs.

— Mais ça aurait tué l'arbre et enrichi ce sale type ! protesta Conor. Car c'était vraiment un sale type !

Il était cupide et grossier et amer, mais il était néanmoins un guérisseur. Le pasteur, en revanche, c'était quoi ? Absolument rien. La foi c'est ce qui fait la moitié de toutes les guérisons. Foi dans le traitement, foi dans l'avenir. Et voici un homme qui vivait de la foi, mais qui la sacrifiait à la première occasion, juste au moment où il en avait le plus besoin. Sa foi reposait sur l'égoïsme et la peur. Ce qui lui a coûté la vie de ses deux filles.

— Tu avais promis qu'il n'y aurait pas de fin en queue de poisson, martela Conor, furieux.

J'ai dit que c'était l'histoire d'un homme puni pour son égoïsme. Et ce n'est pas autre chose.

Conor observa l'autre monstre en train de détruire

le presbytère. Une monstrueuse jambe géante démolit l'escalier d'un seul coup de pied. Un monstrueux bras géant éventra les chambres du presbytère.

Dis-moi, Conor O'Malley, souffla le monstre derrière lui, *aimerais-tu participer ?*

– Participer ? répéta Conor, surpris.

C'est infiniment jubilatoire, je t'assure.

Le monstre fit un pas en avant, rejoignit son double, et son pied géant traversa un canapé qui ressemblait beaucoup à celui de la grand-mère. Le monstre lança un coup d'œil à Conor et attendit.

Que veux-tu que je détruise ensuite, demanda-t-il.

Et, marchant vers l'autre monstre, ils se confondirent en une terrible masse confuse, ne formant plus qu'un seul monstre, plus énorme encore.

J'attends tes ordres, mon garçon.

Conor sentit sa respiration se faire de nouveau plus lourde.

Son cœur battait à toute vitesse et la sensation de fièvre était revenue. Il attendit un long moment, puis il dit :

– Renverse la cheminée.

Le poing du monstre jaillit aussitôt, arrachant l'âtre en pierre de ses fondations, le conduit en brique s'écroulant avec un bruit d'avalanche.

La respiration de Conor s'accéléra encore, comme si c'était lui qui déchaînait toute cette force destructrice.

– Balance leurs lits, dit-il.

Le monstre s'empara des lits des deux chambres

sans toit et les projeta dans les airs, si violemment qu'ils eurent l'air de voler jusqu'à l'horizon avant de s'écraser sur le sol.

– Fracasse leurs meubles ! s'écria Conor. Fracasse tous les meubles !

Le monstre arpenta l'intérieur de la maison, pulvérisant tous les meubles qu'il put trouver dans un agréable concert de craquements et d'explosions.

– Démolis tout, maintenant ! vociféra Conor.

Alors le monstre rugit en retour et détruisit ce qui restait des murs. Conor se précipita pour l'aider, ramassant une branche et brisant les fenêtres qui n'avaient pas encore été réduites en miettes.

Il criait en même temps, si fort qu'il ne s'entendait même pas penser, submergé par une frénésie de destruction aveugle, cassant, cassant et cassant encore.

Le monstre avait raison. C'était vraiment *infiniment* jubilatoire.

Conor hurla jusqu'à se casser la voix, brisa jusqu'à en avoir des crampes, rugit jusqu'à en tomber d'épuisement.

Quand il s'arrêta, il vit le monstre qui l'observait paisiblement devant la ruine. Conor haletait et il dut s'appuyer sur la branche pour garder son équilibre.

Et voilà, s'exclama le monstre, *comment s'exécute une destruction en bonne et due forme.*

Et, soudain, ils furent de retour dans le salon de la grand-mère de Conor.

Et Conor vit qu'il l'avait pratiquement détruit.

Destruction

Le canapé était réduit en fragments impossibles à compter. Chaque pied était cassé, le tissu en lambeaux, des poignées de bourre s'éparpillaient sur le parquet, parmi les débris pratiquement méconnaissables de la pendule arrachée du mur. Tout comme les lampes et les deux guéridons qui se dressaient à chaque bout du canapé, et la bibliothèque sous la fenêtre, chaque livre étant maintenant déchiré de part en part. Même le papier peint avait été décollé et déchiqueté en longues bandes sales. Une seule chose tenait encore debout, la vitrine, mais ses portes en verre avaient explosé et tout l'intérieur avait été renversé sur le sol.

Conor resta sans bouger, stupéfait. Il observa ses mains couvertes d'égratignures et de sang. Ses ongles cassés, lui faisaient mal.

– Oh, mon Dieu, murmura-t-il.

Il se retourna vers le monstre.

Qui n'était plus là.

– Qu'est-ce que tu as fait ? s'écria-t-il dans ce vide soudain trop silencieux.

Il arrivait à peine à se déplacer parmi tous les débris qui jonchaient le parquet.

Jamais il n'aurait pu faire tout cela à lui seul.

Jamais.

(Jamais ?...)

– Oh, mon Dieu, répéta-t-il. Oh, mon Dieu.

La destruction, c'est infiniment jubilatoire, entendit-il, mais comme une voix très lointaine portée par la brise.

Et, alors, il entendit la voiture de sa grand-mère dans l'allée.

Il n'avait nulle part où courir. Même pas le temps de passer par la porte du jardin pour s'enfuir, peu importait où et comment, mais quelque part où elle ne le retrouverait pas.

Son père refuserait sûrement de le prendre quand il saurait ce qu'il avait fait. Un garçon capable de causer de tels ravages, jamais ils ne lui permettraient d'aller vivre dans une maison avec un bébé...

– Oh, mon Dieu, dit-il encore, son cœur battant à lui crever la poitrine.

Sa grand-mère mit la clé dans la serrure et ouvrit la porte d'entrée.

Dans la fraction de seconde qui précéda son arrivée à l'angle du salon, fouillant toujours dans son sac à main, avant qu'elle ne voie où était Conor et ce qui s'était passé, il vit son visage, à quel point il était fatigué, inexpressif, impénétrable, encore une nuit de plus à l'hôpital avec sa fille, sa maman à lui, ces nuits qui les amaigrissaient petit à petit toutes les deux.

Puis elle leva les yeux.

– Qu'est-ce que c'est que ce f…? dit-elle, s'arrêtant par réflexe pour ne pas prononcer le mot « foutoir » devant Conor.

Elle resta pétrifiée, son sac toujours entre les mains. Seuls ses yeux bougeaient, contemplant la destruction de son salon avec incrédulité, refusant presque la réalité. Conor ne l'entendait même pas respirer.

Et puis elle le regarda, bouche bée, les yeux écarquillés. Elle le vit debout au milieu de tout ce carnage, les mains ensanglantées.

Sa bouche se referma, mais pas pour reprendre sa forme pincée habituelle. Ses lèvres frémissaient et tremblaient, comme si elle refoulait ses larmes, comme si elle avait du mal à garder son visage en un seul morceau.

Puis elle poussa une sorte de râle, du fond de sa poitrine, la bouche toujours fermée.

C'était un bruit si douloureux que Conor aurait voulu se boucher les oreilles pour ne pas l'entendre.

Le gémissement se répéta. Encore. Et encore, jusqu'à devenir continu, un horrible râle continu. Son sac tomba par terre. Elle se plaqua les paumes sur la bouche, comme s'il n'y avait pas d'autre solution pour contenir cet horrible cri plaintif, cette lamentation qui s'écoulait d'elle.

– Grand-mère ? dit Conor d'une voix aiguë, étranglée par la terreur.

Alors elle hurla.

Elle écarta ses mains, serra les poings, ouvrit tout grand la bouche et hurla. Elle hurla si fort que Conor dut vraiment se boucher les oreilles, cette fois. Elle ne le regardait pas, elle ne regardait rien, elle hurlait simplement dans le vide.

Conor n'avait jamais eu aussi peur de toute sa vie. C'était comme assister à la fin du monde, comme être vivant et éveillé dans son propre cauchemar, le hurlement, le vide...

Alors elle entra dans le salon.

Elle se fraya un passage parmi les débris, presque comme si elle ne les voyait pas. Conor recula aussitôt devant elle, trébuchant sur les restes du canapé. Il leva un bras pour se protéger, prêt à prendre des coups à tout moment...

Mais elle n'en avait pas après lui.

Elle le dépassa, le visage grimaçant de larmes, le râle se déversant à nouveau de sa poitrine. Elle marcha jusqu'à la vitrine, la seule chose encore debout dans le salon.

Elle l'attrapa par le côté

Tira dessus une fois très fort

Deux fois

Et une troisième

L'envoyant s'écraser sur le sol avec un grand craquement définitif.

Elle poussa un dernier gémissement et se pencha en avant, les mains appuyées sur ses genoux, avec de petits halètements rauques.

Elle ne regarda pas Conor, ne le regarda pas une seule fois quand elle se redressa et quitta la pièce, laissant son sac à main où elle l'avait lâché, gagnant directement sa chambre et refermant silencieusement sa porte.

Conor resta là pendant un moment, ne sachant pas s'il devait bouger ou non.

Après ce qui lui sembla durer une éternité, il alla dans la cuisine prendre des sacs-poubelle vides.

Il travailla très tard à essayer de nettoyer le salon, mais il y en avait vraiment trop. L'aube se levait quand il finit par abandonner.

Il monta l'escalier, sans même prendre le temps de laver ses mains pour enlever le sang séché et la poussière. En passant devant la chambre de sa grand-mère, il vit qu'elle ne dormait toujours pas, à cause de la lumière filtrant sous la porte.

Il l'entendit à l'intérieur, elle pleurait.

Invisible

Conor attendait dans la cour de l'école.

Il avait vu Lily un peu plus tôt. Elle était avec un groupe de filles qui ne l'aimaient pas vraiment et qu'elle n'aimait pas trop non plus. Mais elle était là, silencieuse parmi les autres qui bavardaient. Il se surprit à chercher son regard mais elle ne tourna pas la tête vers lui.

Comme si elle ne le voyait plus.

Alors, il attendit tout seul, appuyé contre un mur en pierre, loin des autres enfants qui criaient et riaient et jouaient avec leurs téléphones comme si le monde allait parfaitement bien, comme si, de toute leur vie, rien de mauvais ne pourrait jamais leur arriver.

Puis il les aperçut. Harry et Sully et Anton, qui marchaient vers lui, traversant la cour en diagonale, les yeux de Harry posés sur lui, pas souriants mais sur le qui-vive, ses deux acolytes se régalant déjà à l'avance.

Ils arrivaient.

Conor faillit s'évanouir de soulagement.

Il avait juste dormi assez longtemps ce matin pour que le cauchemar revienne, comme si la situation n'était pas assez cauchemardesque. Le même rêve, avec l'horreur et la chute, et la chose terrible, si terrible qui arrivait à la fin. Il s'était réveillé en hurlant. Pour affronter une journée qui s'annonçait à peine meilleure.

Quand il réussit finalement à trouver le courage de descendre, son père était dans la cuisine, en train de préparer le petit déjeuner.

Sa grand-mère semblait avoir disparu.

– Brouillés ? demanda son père en tenant la poêle où cuisaient les œufs.

Conor hocha la tête et même s'il n'avait absolument pas faim, se mit à table. Son père étala les œufs sur des toasts beurrés qu'il avait également préparés, posant deux assiettes sur la table, une pour Conor et une pour lui-même. Il s'assit et ils mangèrent.

Le silence devint si lourd que Conor commença à éprouver des difficultés à respirer.

– T'en as mis un de ces bazars…, dit finalement son père.

Conor continua à manger, grappillant de minuscules miettes d'œuf.

– … Elle m'a appelé ce matin. Très, très tôt.

Conor prit encore une bouchée microscopique.

– … Ta maman, ça ne va pas trop bien, tu sais.

Conor leva rapidement les yeux.

– … Ta grand-mère est allée à l'hôpital pour parler aux médecins. Je vais te déposer à l'école…

– À l'école ? s'écria Conor. Mais je veux voir maman !

– Non, ce n'est pas un endroit pour un enfant, en ce moment, répliqua son père en secouant la tête. Je vais te déposer à l'école et aller à l'hôpital. Je reviendrai ensuite te chercher et nous irons la voir. (Il fixa son assiette.) Je passerai plus tôt si… en cas de besoin.

Conor reposa sa fourchette et son couteau. Il n'avait plus envie de manger. N'en aurait peut-être plus jamais envie.

– Hé, reprit son père. Tu te rappelles ce que je t'avais dit, que tu allais devoir être courageux ? Bon, eh bien le moment est venu, fiston. (Il fit un signe de tête vers le salon.) Je vois bien à quel point tout cela te perturbe. (Et avec un sourire triste, qui s'effaça presque aussitôt.) Et ta grand-mère le voit aussi.

– Je l'ai pas fait exprès, dit Conor, et son cœur se mit à battre très fort. Je ne sais pas ce qui m'a pris.

– Ne t'en fais pas.

Il fronça les sourcils.

– Comment… comment ça ?

– Ne t'en fais pas…, répéta son père. Il arrive des choses bien pires en mer.

– Qu'est-ce que ça veut dire ?

– Cela veut dire qu'on va faire comme si rien ne s'était passé, rétorqua fermement son père, parce que nous avons d'autres préoccupations en tête en ce moment.

– Comme maman ?

– Finis ton petit déjeuner, lâcha-t-il avec un soupir.

– Vous n'allez même pas me punir ?

– Et ça servirait à quoi, fiston ? Hein, à quoi ?

Conor n'avait pas écouté le moindre mot en cours, mais aucun prof ne l'avait réprimandé pour son inattention, le laissant de côté quand ils interrogeaient la classe. Mrs Marl ne lui réclama même pas son devoir sur « *Histoires vécues* », alors qu'on devait le rendre ce jour-là. Conor n'en avait pas écrit la première phrase.

Personne n'avait franchement l'air de s'en préoccuper, d'ailleurs.

Ses camarades restaient à distance, également, comme s'il sentait mauvais. Il essaya de se rappeler s'il avait adressé la parole à l'un d'eux de toute la matinée. Non, probablement pas. Ce qui voulait dire qu'il n'avait parlé à personne depuis le petit déjeuner avec son père.

Comment une chose pareille était-elle possible ?

Enfin, il aperçut Harry. Et cela, au moins, paraissait normal.

– Conor O'Malley, dit Harry en s'arrêtant à un mètre.

Sully et Anton traînaient derrière en ricanant.

Conor se décolla du mur, les bras ballants, préparant son corps à accueillir le coup de poing, où qu'il tombe.

Mais non, rien.

Harry restait simplement là, planté devant lui.

Sully et Anton eux aussi, et leurs sourires s'effaçaient lentement.

– Qu'est-ce que t'attends ? demanda Conor.

– Ouais, dit Sully à Harry, qu'est-ce que t'attends ?

– Frappe-le, dit Anton.

Harry ne bougea pas, les yeux toujours rivés sur Conor, qui n'avait pas d'autre choix que de soutenir son regard. À la fin, on aurait dit qu'il n'y avait plus personne au monde, sauf Harry et lui. Il avait les paumes moites. Son cœur battait à tout casser.

« Mais fais-le, quoi », pensa-t-il, puis il réalisa qu'il le disait à haute voix :

– Fais-le !

– Faire quoi, répliqua Harry calmement. Mais que veux-tu que je fasse, O'Malley ?

– Il veut que tu le flanques par terre, dit Sully.

– Il veut que tu lui bottes le cul, dit Anton.

– C'est vrai ? demanda Harry d'un air vaguement intéressé. C'est vraiment ce que tu veux ?

Conor ne répondit rien, toujours campé là, poings serrés.

À attendre.

Alors la sonnerie retentit, très fort, et Miss Kwan apparut dans la cour au même moment, parlant à une autre prof, mais observant les élèves, et surveillant tout particulièrement Conor et Harry.

– Je suppose qu'on ne saura jamais ce que O'Malley veut exactement, dit Harry.

Anton et Sully éclatèrent de rire, même s'il était

125

évident qu'ils n'avaient rien compris, et tous trois se dirigèrent vers l'intérieur.

Mais Harry continua à observer Conor de côté, sans le lâcher des yeux, avant de disparaître.

Et de laisser Conor seul, contre le mur.

Comme s'il était devenu complètement invisible aux yeux du monde.

Ifs

— Bonjour, mon chéri, dit sa mère en se redressant légèrement dans le lit quand Conor parut à l'entrée de la chambre.

Il vit tout de suite l'effort que ça lui coûtait.

— Je serai dehors, dit sa grand-mère en se levant de sa chaise et en sortant sans le regarder.

— Je vais au distributeur, champion, dit son père à la porte. Tu veux quelque chose ?

— Que tu arrêtes de m'appeler champion, répliqua Conor sans détacher ses yeux de sa mère.

Qui se mit à rire.

— J'en ai pas pour longtemps, dit son père en laissant Conor seul avec elle.

— Viens là, dit-elle en tapotant sur le lit.

Il alla s'asseoir à côté d'elle, prenant soin de ne pas déplacer le tuyau qu'ils avaient planté dans son bras ni celui qui envoyait de l'air dans ses poumons, ni celui qu'il savait parfois scotché à sa poitrine quand on lui injectait ses médicaments orange fluo.

– Comment va mon petit Conor ? dit-elle en tendant une main toute maigre pour lui caresser les cheveux.

Il aperçut une tache jaune sur son bras, autour de l'entrée du tube, et des petits bleus partout au creux de son coude. Mais elle souriait. Un sourire fatigué, épuisé, mais un vrai sourire.

– Je ne dois pas être belle à voir, dit-elle.

– Mais si, répondit Conor.

Elle lui passa encore la main dans les cheveux.

– Bon, je te pardonne ton mensonge, puisque c'est par gentillesse.

– Tu vas bien ? demanda-t-il, et même si la question dans un sens était complètement ridicule, elle comprit ce qu'il voulait dire.

– écoute, mon chéri. Ils ont essayé différentes choses qui n'ont pas marché comme ils le souhaitaient. Et c'est venu beaucoup plus tôt qu'ils ne pensaient. Enfin, ce n'est peut-être pas clair…

Connor secoua la tête.

– … Pour moi non plus, d'ailleurs, dit-elle, et il vit son sourire se pincer, devenir plus difficile à maintenir.

Elle prit une longue inspiration, qui fit un bruit rauque en passant, comme s'il y avait quelque chose de lourd dans sa poitrine.

– … Les choses vont un peu plus vite que je ne l'aurais voulu, mon chéri, reprit-elle, et son élocution était si rauque, si embarrassée, que l'estomac de Conor se noua plus fort.

Une bonne chose qu'il n'ait rien mangé depuis le petit déjeuner.

— ... Enfin, dit-elle, la voix toujours serrée mais souriant encore, ils vont encore essayer quelque chose, un médicament qui a déjà eu de bons résultats.

— Pourquoi est-ce qu'ils ne l'ont pas essayé avant ?

— Tu te rappelles tous mes traitements ? La perte de mes cheveux et tous ces vomissements ?

— Bien sûr.

— Eh bien, c'est quelque chose qu'ils te donnent quand les autres n'ont pas marché comme prévu. Comme une possibilité qu'ils gardent en réserve tout en espérant ne pas avoir à l'utiliser. (Elle baissa les yeux.) Et ils espéraient ne pas avoir à l'utiliser si vite.

— Est-ce que ça veut dire qu'il est trop tard ? demanda Conor, lâchant les mots avant même de savoir ce qu'il disait.

— Non, Conor, répondit-elle aussitôt. Ne pense pas cela. Il n'est pas trop tard. Il n'est jamais trop tard.

— Tu es sûre ?

Elle sourit à nouveau, et articula d'une voix plus ferme :

— Je crois en ce que je te dis, en chacun de mes mots.

Conor se rappela ce que le monstre avait dit. « La foi fait la moitié de la guérison. »

Il avait encore l'impression de ne plus respirer, mais le poids commençait à s'alléger un peu, et son estomac à se desserrer. Sa mère le vit se détendre, et se mit à lui caresser doucement le bras.

– … Et il y a aussi quelque chose de vraiment intéressant, dit-elle d'un ton presque plus gai. Tu te souviens de cet arbre, l'if, sur la colline derrière notre maison ?

Conor écarquilla les yeux.

– … Eh bien, crois-moi si tu veux, mais ce médicament est à base d'if.

– D'if ? répéta mécaniquement Conor dans un souffle.

– Parfaitement. J'avais déjà lu quelque chose là-dessus il y a bien longtemps, quand toute cette histoire a commencé. (Elle toussa dans sa main, puis toussa encore.) Évidemment, à l'époque j'espérais qu'on n'en arriverait pas là, mais c'est tout de même incroyable, quand on pense que pendant tout ce temps on voyait un if de notre propre maison. Et que c'était cet arbre-là qui pourrait justement me guérir.

Tout tourbillonnait dans la tête de Conor, si vite qu'il en avait le vertige.

– … Les plantes de ce monde sont vraiment merveilleuses, non ? continua sa mère. Et on se donne tant de mal pour s'en débarrasser alors que parfois ce sont elles qui peuvent nous sauver.

– Et… ça va te sauver, toi ? demanda Conor, tout juste capable d'articuler les mots.

Sa mère sourit de nouveau.

– J'espère bien. Je le crois, même.

Était-ce possible ?

Conor sortit dans le couloir de l'hôpital, le cerveau en ébullition. Un médicament à base d'if. Un médicament qui pouvait vraiment guérir. Un médicament semblable à celui que l'Apothicaire avait refusé de préparer pour le pasteur. Même si, pour être franc, Conor ne comprenait toujours pas très bien pourquoi c'était la maison du pasteur qui avait été démolie.

À moins que. À moins que le monstre ne soit ici pour une raison. À moins qu'il ne soit venu pour guérir la mère de Conor.

Il n'osait pas y croire. Il n'osait même pas y penser.

Non. Non, bien sûr que non. Ça ne pouvait pas être vrai, qu'il était bête. Le monstre était un rêve. Rien d'autre qu'un *rêve*.

Mais les aiguilles. Et les baies. Et le rejet dans le parquet. Et la destruction du salon de sa grand-mère.

Conor se sentit soudain tout léger, comme s'il commençait à s'élever, à flotter dans les airs.

Était-ce possible ? Était-ce vraiment possible ?

Il entendit des éclats de voix et leva les yeux vers le bout du couloir. Son père et sa grand-mère se disputaient.

Il n'entendait pas ce qu'ils disaient, mais sa grand-mère enfonçait un index plutôt féroce dans la poitrine de son père.

— Et alors, que voulez-vous que je fasse ? s'écria celui-ci, assez fort pour attirer l'attention des gens qui passaient.

Conor n'entendit pas la réponse de sa grand-mère mais elle remonta le couloir en furie, passant devant Conor toujours sans le regarder, puis entra dans la chambre de sa fille.

Son père le rejoignit bientôt, le dos voûté.

— Que se passe-t-il ? demanda Conor.

— Bah, ta grand-mère est furieuse contre moi, répondit-il avec un bref sourire. Rien de neuf à cela.

— Furieuse, mais pourquoi ?

Son père fit la grimace.

— Écoute, je n'ai pas de très bonnes nouvelles, Conor. Je dois reprendre l'avion ce soir.

— Ce soir ? Mais pourquoi ?

— Le bébé est malade.

— Ah ? Et qu'est-ce qu'il a ?

— Sans doute rien de grave. Mais Stephanie a un peu perdu les pédales. Elle l'a emmené à l'hôpital et elle veut que je rentre tout de suite.

— Et tu y vas ?

— Oui, mais je reviens. Pas ce dimanche, mais le

suivant, ce qui ne fait même pas deux semaines. Ils m'ont donné plus de congés pour que je puisse revenir te voir.

– Deux semaines, murmura Conor presque pour lui-même. Bon, ça devrait aller. Maman va prendre son nouveau médicament, et quand tu reviendras…

Il s'arrêta en voyant la mine de son père.

– Pourquoi est-ce qu'on n'irait pas faire un tour, fiston ?

Il y avait un petit parc devant l'hôpital, avec des allées bordées d'arbres. En le traversant pour rejoindre un banc inoccupé, ils croisèrent plein de patients en robe de chambre, qui marchaient avec leur famille, ou tout seuls pour fumer une cigarette en douce. On aurait dit une salle d'hôpital, mais en plein air. Ou un endroit où les fantômes allaient faire une pause.

– C'est pour une conversation, hein ? demanda Conor quand ils furent assis. Tout le monde veut toujours avoir une *conversation*, depuis quelque temps.

– Conor, ce nouveau médicament que ta maman va prendre…

– Ça va marcher, coupa-t-il d'un ton décidé.

Son père marqua une pause, puis :

– Non, Conor. Probablement pas.

– Mais si, tu te trompes.

– C'est la tentative de la dernière chance, fiston. Je suis désolé, mais les choses ont évolué trop vite.

– Ça va la guérir. Je le sais.

133

– Conor… L'autre raison pour laquelle ta grand-mère était furieuse, c'est qu'elle pense que ta maman et moi nous n'avons pas été suffisamment honnêtes avec toi. Sur ce qui se passe réellement.

– Et qu'est-ce qu'elle en sait, grand-mère ?

– Conor, ta maman…, commença son père en lui posant une main sur l'épaule.

– Elle va s'en sortir, coupa-t-il en s'écartant brusquement pour se remettre debout. Grâce à ce nouveau médicament. Il va la guérir. Je te le dis, parce que je le sais.

Son père eut l'air surpris.

– Tu sais quoi ?

– Alors, rentre en Amérique, continua-t-il, retourne à ton autre famille, et nous nous en sortirons très bien sans toi. Parce que ça va marcher.

– Mais, Conor…

– Si. Ça *va* marcher.

– Fiston, dit son père en se penchant vers lui, les histoires ne se terminent pas toujours bien.

Il se figea. Parce que c'était vrai. Et s'il y avait une chose que le monstre lui avait apprise, c'était bien celle-là. Les histoires étaient des animaux sauvages, très sauvages, et elles partaient dans des directions qu'on ne pouvait pas prévoir.

Son père secoua la tête.

– On exige trop de toi. Je le sais. C'est cruel et injuste et pas comme cela devrait être.

Conor ne répondit pas.

– Je reviens l'autre dimanche. Souviens-t'en. D'accord ?

Conor plissa les yeux dans le soleil. Ce mois d'octobre avait vraiment été incroyablement chaud, comme si l'été refusait de s'en aller.

– Combien de temps tu resteras ? demanda-t-il.

– Aussi longtemps que possible.

– Et puis tu repartiras, hein ?

– J'y suis obligé. J'ai…

– Une autre famille là-bas, conclut Conor.

Son père tendit la main, mais Conor lui tournait déjà le dos, marchant vers l'hôpital.

Parce que oui, ça marcherait, ça marcherait, oui, parce que c'était ça, la raison pour laquelle le monstre était venu. C'était forcément ça, la raison. Si le monstre était vraiment réel, alors c'était la raison.

En entrant, Conor regarda l'horloge sur la façade de l'hôpital.

Encore huit heures avant minuit sept.

Pas d'histoire

— Tu peux la guérir ?

L'if est un arbre guérisseur, dit le monstre. *C'est la forme que je choisis le plus souvent pour apparaître.*

Conor fronça les sourcils.

— Ce n'est pas vraiment une réponse.

Le monstre ne lui offrit que son sourire diabolique.

Sa grand-mère l'avait ramené chez elle quand sa maman s'était endormie sans avoir touché à son dîner. Elle n'avait pas dit un mot au sujet de la destruction de son salon. Elle ne lui avait d'ailleurs pratiquement pas parlé.

— J'y retourne, dit-elle quand il sortit de la voiture. Prépare-toi quelque chose à manger. Je sais que tu peux au moins faire cela.

— Tu penses que papa est à l'aéroport, maintenant ?

Pour toute réponse, sa grand-mère poussa un soupir exaspéré. Il referma la portière et la voiture repartit.

La pendule – celle de la cuisine, à piles et bon

marché, il ne leur restait plus que celle-là, maintenant – s'était lentement avancée vers minuit, sans
que sa grand-mère revienne ou appelle. Il pensa l'appeler lui-même, mais elle l'avait déjà incendié une
fois, quand la sonnerie du portable avait réveillé sa
maman. Cela n'avait pas d'importance. En fait, cela
facilitait les choses, même. Il n'avait pas fait semblant d'aller se coucher. Il avait attendu que la pendule indique 00h07. Puis il était sorti dans le jardin
et avait demandé :

– Où es-tu ?

Et le monstre avait répondu «*Je suis là*» tout en
enjambant d'un seul pas le bureau de sa grand-mère.

– Est-ce que tu peux la guérir ? répéta Conor d'un
ton insistant.

Le monstre abaissa son regard sur lui.

Cela ne dépend pas de moi.

– Et pourquoi pas ? Tu démolis bien des maisons,
tu sauves bien des sorcières. Tu dis que chaque partie
de toi pourrait guérir, si les gens voulaient les utiliser.

Si ta mère peut être guérie, alors l'if le fera.

Conor croisa les bras.

– Ça veut dire oui ?

Alors, le monstre fit quelque chose qu'il n'avait
jamais fait jusque-là.

Il s'assit.

Il plaça son énorme masse sur la cabane de sa
grand-mère. Conor entendit le bois grincer, il vit le

toit plier. Son cœur lui sauta dans la gorge. S'il détruisait le bureau en plus, Dieu sait ce qu'elle lui ferait. Sûrement qu'elle l'expédierait en prison. Ou pire, au pensionnat.

Tu ne sais toujours pas pourquoi tu m'as appelé, n'est-ce pas ? demanda le monstre. *Tu ne sais toujours pas pourquoi je suis venu. Et pourtant, je ne fais pas cela tous les jours, Conor O'Malley.*

— Je ne t'ai pas appelé. Ou alors, c'était en rêve, ou quelque chose comme ça. Et même si je l'ai fait, c'était forcément pour ma mère.

Vraiment ?

— Et pourquoi, sinon ? demanda Conor en haussant le ton. Ce n'était pas pour écouter tes affreuses histoires sans queue ni tête.

Oublierais-tu le salon de ta grand-mère, par hasard ?

Conor ne put totalement réprimer un petit sourire.

C'est bien ce que je pensais, dit le monstre.

— Mais je suis sérieux, reprit Conor.

Moi aussi. Mais nous ne sommes pas encore prêts pour la troisième et dernière histoire. Ce sera bientôt. Et après cela, tu me diras ton histoire, Conor O'Malley. Tu me diras ta vérité. (Le monstre se pencha en avant.) *Et tu sais de quoi je parle.*

Le brouillard les enveloppa soudain et le jardin de sa grand-mère s'évanouit peu à peu. Le monde se transforma en vide gris, et Conor sut exactement où il était, exactement en quoi le monde s'était changé.

Il était à l'intérieur du cauchemar.

C'était à cela que ça ressemblait, les bords du monde s'écroulant et Conor qui se cramponnait à ses mains à elle, les sentait échapper à son emprise, la sentait *tomber*...

– Non, hurla-t-il. Non ! Pas ça !

Le brouillard se dissipa. Il se trouvait de nouveau dans le jardin de sa grand-mère, le monstre toujours assis sur le toit du bureau.

– Ce n'est pas *ma* vérité, balbutia Conor d'une voix tremblante. C'est juste un cauchemar.

Et pourtant, dit le monstre en se relevant, et les poutres du toit du cabanon semblèrent soupirer de soulagement, *c'est ce qui arrivera après la troisième histoire.*

– Super, dit-il, encore une histoire, comme s'il ne se passait pas des choses plus importantes en ce moment.

Les histoires sont importantes. Elles peuvent être plus importantes que tout. Si elles apportent la vérité.

– Des « Histoires vécues », souffla-t-il, d'un ton amer.

Mais oui, dit le monstre d'un air surpris. Il se retourna pour partir, puis, jetant un coup d'œil à Conor : *Attends-toi à me revoir bientôt.*

– Je veux savoir ce qui va arriver à ma maman, dit-il.

Le monstre marqua une pause.

Tu ne le sais pas déjà ?

– Tu as dit que tu étais un arbre guérisseur. Eh bien, j'ai besoin que tu guérisses !

Et c'est donc ce que je ferai, répondit le monstre.

Et dans une rafale de vent, il disparut.

Je ne te vois même plus

– Je veux aller à l'hôpital aussi, dit Conor le lendemain matin, dans la voiture de sa grand-mère. Je ne veux pas aller à l'école, aujourd'hui.

Elle ne répondit rien. Peut-être qu'elle ne lui adresserait plus jamais la parole.

– Comment elle allait, cette nuit ? demanda-t-il.

Il avait attendu longtemps après le départ du monstre, mais il s'était pourtant endormi avant le retour de sa grand-mère.

– Plus ou moins pareil, grommela-t-elle, les yeux rivés sur la route.

– Et le nouveau médicament, il fait de l'effet ?

Elle resta si longtemps muette qu'il crut qu'elle ne répondrait pas, et il allait répéter quand elle dit :

– Trop tôt pour savoir.

Conor laissa passer quelques rues, puis il demanda :

– Quand reviendra-t-elle à la maison ?

Cette fois, sa grand-mère ne répondit pas, alors qu'il restait encore une demi-heure de trajet avant l'école.

Impossible évidemment de se concentrer en cours. Ce qui, une fois de plus, n'avait pas d'importance puisque aucun prof ne le questionna. Et ses camarades de classe ne lui parlèrent pas non plus. Quand arriva la pause déjeuner, il avait passé encore une matinée sans avoir prononcé un mot.

Il s'était assis tout au fond de la cantine, et n'avait pas touché à son assiette. La salle était incroyablement bruyante, remplie par la clameur de ses camarades qui criaient, se chamaillaient et riaient. Conor fit de son mieux pour les ignorer.

Le monstre allait la guérir. Bien sûr que oui. Sinon, pourquoi serait-il venu ? Il n'y avait pas d'autre explication. Il était venu en tant qu'arbre guérisseur, le même arbre qui avait servi à fabriquer le médicament pour sa mère. Sinon, pourquoi venir ?

« S'il te plaît, pensa Conor en fixant son plateau toujours plein. S'il te plaît. »

Deux mains se tendirent de l'autre côté de la table et s'abattirent sur le plateau, projetant le jus d'orange de Conor sur ses genoux.

Conor se redressa d'un bond, mais pas assez vite. Son pantalon était déjà trempé, le jus ruisselait le long de ses jambes.

– O'Malley s'est pissé dessus ! criait déjà Sully, Anton plié en deux derrière lui.

– Hé, dit ce dernier en balayant la flaque sur la table vers Conor. Il en reste encore un peu !

Harry se tenait entre Anton et Sully, comme d'habitude, les bras croisés, à l'observer.

Conor lui retourna son regard.

Ni l'un ni l'autre ne bougèrent pendant si longtemps qu'Anton et Sully se calmèrent. Ils finirent même par se sentir mal à l'aise quand la situation se prolongea, se demandant ce que Harry allait bien pouvoir faire ensuite.

Conor se le demandait, lui aussi.

– Je crois que j'ai fini par te comprendre, O'Malley, dit enfin Harry. Je crois que je sais ce que tu demandes.

– Et tu vas l'avoir, maintenant, dit Sully.

Anton et lui éclatèrent de rire en serrant les poings.

Conor n'apercevait aucun prof dans les parages. Harry avait choisi un moment où ils pouvaient faire ce qu'ils voulaient sans aucun risque. Conor était livré à lui-même.

Harry s'avança, toujours aussi calme.

– Voici le coup le plus dur, O'Malley. La pire chose que je puisse te faire.

Il tendit la main, comme s'il désirait échanger une poignée de main.

Et il lui tendait vraiment la main.

Conor répondit presque automatiquement, tendant sa propre main et serrant celle de Harry avant même de penser à ce qu'il faisait. Ils se serrèrent la main comme deux hommes d'affaires à la fin d'une réunion.

– Au revoir, O'Malley, dit Harry, plongeant ses yeux dans ceux de Conor. Je ne te vois même plus.

Puis il lui lâcha la main, se retourna et s'en alla. Anton et Sully avaient l'air toujours plus éberlués, mais au bout d'une seconde ils s'en allèrent eux aussi.

Aucun d'eux ne jeta un regard sur Conor.

Il y avait une énorme horloge digitale sur le mur de la cantine, achetée dans les années 1970 comme le dernier cri en matière de technologie et jamais remplacée, alors qu'elle était plus vieille que la maman de Conor. Alors qu'il regardait Harry s'éloigner, s'éloigner sans un regard en arrière, s'éloigner sans rien faire, Harry passa devant l'horloge digitale.

Le déjeuner commençait à 11 h 55 et finissait à 12 h 40.

L'horloge indiquait 12 h 06.

Les mots de Harry résonnaient dans la tête de Conor : « Je ne te vois même plus. »

Harry continuait à s'éloigner, respectant sa promesse.

« Je ne te vois même plus. »

L'horloge passa sur 00 h 07.

L'heure de la troisième histoire est venue, dit le monstre derrière lui.

La troisième histoire

Il y avait un homme invisible, continua le monstre, même si Conor gardait les yeux rivés sur Harry, *qui en avait assez de ne plus être vu*.

Conor se mit à marcher. Marcher en suivant Harry.

Il n'était pas véritablement *invisible*, précisa le monstre en suivant Conor, le bruit de la salle s'atténuant sur leur passage. Mais les gens avaient fini par s'habituer à ne plus le voir.

– Hé ! appela Conor.

Harry ne se retourna pas. Sully et Anton non plus, même s'ils ricanaient alors que Conor accélérait l'allure.

Et si personne ne te voit, dit le monstre, en pressant lui aussi le pas, *comment peux-tu être vraiment là ?*

– Hé ! appela Conor en haussant la voix.

Toute la cantine était plongée dans le silence maintenant, Conor et le monstre rattrapant peu à peu Harry.

Harry qui ne s'était toujours pas retourné.

Conor le rattrapa et l'agrippa par l'épaule, l'obligeant à se retourner. Harry prétendit ne rien comprendre à ce qui se passait et fixa Sully d'un air furieux, comme si c'était lui le responsable.

– Arrête de faire l'imbécile, dit Harry, et il se retourna de nouveau.

Se retourna sans regarder Conor.

Et puis, un jour, fit le monstre d'une voix qui résonnait dans les oreilles de Conor, *l'homme invisible décida : je vais les obliger à me voir.*

– Comment ça ? demanda Conor en respirant bruyamment, sans se retourner vers le monstre qui se tenait là, sans voir la réaction de la cantine devant l'immense monstre maintenant parmi eux, mais il percevait les murmures inquiets et l'étrange sentiment d'attente qui remplissaient l'atmosphère. Comment est-ce qu'il a fait ?

Conor sentait le monstre juste derrière lui, il savait qu'il s'était agenouillé, qu'il se collait à son oreille pour chuchoter, pour lui raconter le reste de l'histoire.

Il appela un monstre.

Et le monstre abattit une énorme, une monstrueuse main devant Conor, envoyant Harry valser sur le carrelage.

Les plateaux volèrent, les gamins se mirent à hurler à la vue de Harry qui roulait à leurs pieds. Anton et Sully ouvraient de grands yeux terrifiés, fixant d'abord Harry, puis Conor.

Leurs visages se transformèrent en le voyant.

Conor fit un autre pas vers eux, sentant le monstre dressé de toute sa hauteur derrière lui.

Anton et Sully prirent la fuite.

– À quoi est-ce que tu joues, Conor O'Malley, marmonna Harry en se relevant péniblement.

Il se palpait le front, là où il s'était cogné en tombant.

Il retira sa main et plusieurs camarades hurlèrent en voyant du sang.

Conor continuait d'avancer, les autres s'écartant précipitamment de son chemin. Le monstre l'accompagnait, un pas après l'autre, exactement au même rythme.

– Tu ne me vois pas ? criait Conor en se rapprochant. Tu ne me *vois* vraiment pas ?

– Non, O'Malley, cria Harry maintenant debout. Et personne d'autre ici ne te voit !

Conor s'arrêta et regarda lentement autour de lui. Toute la cantine les observait maintenant, attendant de voir ce qui allait se passer.

Sauf lorsque Conor se tourna vers eux. Alors, ils baissèrent tous les yeux, comme s'il y avait quelque chose de trop embarrassant ou de trop douloureux à le fixer directement. Seule Lily soutint son regard pendant plus d'une seconde, l'air anxieux, blessé.

– Tu crois me faire peur comme ça, O'Malley ? demanda Harry, touchant le sang qui coulait sur son front. Tu crois vraiment que je pourrais avoir un jour peur de toi ?

Conor ne répondit rien, mais se remit à avancer.

Harry fit un pas en arrière.

– Conor O'Malley, dit-il d'une voix devenue veni-meuse. Qui fait pleurer tout le monde à cause de sa maman. Qui fait l'intéressant dans toute l'école, qui se croit différent des autres, qui fait comme si personne n'était au courant de ses petits *malheurs*.

Conor continuait d'avancer. Il y était presque.

– Conor O'Malley qui veut être puni, poursuivit Harry, reculant toujours, les yeux fixés sur ceux de Conor. Conor qui *a besoin* d'être puni. Et pourquoi donc, Conor O'Malley ? Quel secret si terrible caches-tu donc ?

– *Ferme-la*, dit-il.

Et il entendit la voix du monstre le dire en même temps que lui.

Harry recula encore d'un pas et se retrouva acculé à une fenêtre. On aurait dit que toute l'école retenait son souffle, attendant de voir ce que Conor allait faire. Il entendit un ou deux profs qui appelaient de l'extérieur, réalisant sans doute qu'il se passait quelque chose d'anormal.

– Mais sais-tu ce que moi je vois quand je te regarde, O'Malley ? dit Harry.

Conor serra les poings.

Harry se pencha en avant, des éclairs dans les yeux.

– ... Je ne vois *rien*, dit-il.

Sans se retourner, Conor demanda au monstre :

– Qu'as-tu fait pour aider l'homme invisible ?

Et il sentit de nouveau la voix du monstre comme si elle vibrait à l'intérieur de son crâne.

Je les ai obligés à voir.

Conor serra les poings encore plus fort. Alors le monstre fit un bond en avant pour obliger Harry à voir.

Punition

La directrice poussa un soupir exaspéré en secouant la tête.

– Je ne sais même pas quoi dire. Qu'est-ce que tu veux que je te dise, Conor ?

Conor gardait les yeux fixés sur le tapis couleur lie de vin. Miss Kwan était là elle aussi, assise derrière lui, comme s'il risquait d'essayer de s'échapper. Il sentit plus qu'il ne vit la directrice se pencher en avant. Elle était plus âgée que Miss Kwan. Et à sa manière, encore deux fois plus terrifiante.

– Tu l'as envoyé à l'hôpital, Conor, dit-elle. Tu lui as cassé le bras et le nez, et je parie que son sourire ne sera plus jamais aussi charmeur qu'avant. Ses parents menacent de poursuivre l'école et de porter plainte contre toi.

Il leva les yeux.

– Ils étaient plutôt hystériques, Conor, lâcha Miss Kwan derrière lui. Et je ne les en blâme pas. J'ai expliqué ce qui se passait depuis un moment, quand même.

Qu'il n'avait pas cessé de te brutaliser, et que tu vivais une période… particulière.

Le mot le fit grimacer.

– En fait, c'est le mot de « brutaliser » qui les a le plus effrayés, continua-t-elle avec un zeste de mépris dans la voix. Être l'auteur de brimades, apparemment, ça fait un peu désordre quand on veut s'inscrire dans une bonne université.

– Mais ce n'est pas la question ! s'écria la directrice, tellement fort que Conor et Miss Kwan sursautèrent en même temps. Je n'arrive pas à comprendre ce qui a vraiment pu se passer ! (Elle regarda les papiers étalés sur son bureau, des rapports de professeurs et d'autres écoliers, supposa Conor.) Je ne vois même pas comment un garçon aurait pu faire autant de dégâts à lui tout seul.

Conor avait senti ce que le monstre faisait à Harry, il l'avait senti à travers ses propres mains. Quand le monstre avait empoigné sa chemise, Conor avait senti le tissu se déchirer entre ses propres doigts. Quand le monstre frappait un coup, Conor en sentait la douleur dans son propre poing. Quand le monstre avait replié le bras de Harry derrière son dos, Conor avait senti les muscles résister à la pression.

Résister, mais pas longtemps.

Comment un garçon pouvait-il lutter contre un monstre ?

Il se rappelait les cris, la bousculade et la fuite. Il

se rappelait les autres élèves se précipitant pour appeler les profs. Il se rappelait le cercle qui s'était formé autour de lui, de plus en plus large, pendant que le monstre racontait l'histoire de tout ce qu'il avait fait pour l'homme invisible.

Jamais plus invisible, répétait sans cesse le monstre en rouant Harry de coups. *Jamais plus invisible.*

Il arriva un moment où Harry arrêta de lutter, où les coups furent trop forts, trop nombreux, trop rapides. Un moment où il supplia le monstre d'arrêter.

Jamais plus invisible, dit une dernière fois le monstre, avant de l'abandonner finalement, en repliant ses énormes poings de bois.

Il s'était alors tourné vers Conor.

Mais il y a des choses plus graves que d'être invisible.

Et il s'était évanoui, laissant Conor seul au-dessus d'un Harry tremblant et ensanglanté.

Tout le monde dans la cantine dévisageait Conor. Tout le monde le voyait, tous les yeux étaient tournés vers lui. Un grand silence régnait dans la salle, trop de silence pour autant d'enfants et, pendant un moment, avant que les professeurs le brisent – où étaient-ils passés ? Est-ce que le monstre les avait empêchés de voir ? Ou s'était-il écoulé si peu de temps ? –, on avait entendu le vent rentrer par une fenêtre ouverte, et répandre sur le sol une poignée de petites aiguilles vertes.

Puis des mains d'adulte s'étaient posées sur Conor, l'entraînant hors de la cantine.

– Qu'as-tu à dire pour ta défense ? demanda la directrice.

Conor haussa les épaules.

– … Il va m'en falloir un peu plus. Tu l'as sérieusement amoché.

– Ce n'était pas moi, marmonna Conor.

– Qu'est-ce que tu dis ? dit-elle sèchement.

– Ce n'était pas moi, répéta Conor, plus distinctement. C'était le monstre.

– Le monstre, vraiment ?

– Je n'ai même pas touché Harry.

La directrice posa les coudes sur son bureau, formant un toit avec ses pouces et ses doigts. Elle jeta un coup d'œil à Miss Kwan.

– Toute la cantine t'a vu frapper Harry, dit Miss Kwan. Ils t'ont vu le jeter à terre. Ils t'ont vu le jeter sur une table. Ils t'ont vu lui cogner la tête contre le carrelage. (Elle se pencha.) Ils t'ont entendu crier quelque chose sur le fait d'être vu. De ne plus être invisible.

Conor plia doucement les doigts. Ils lui faisaient mal. Exactement comme après le saccage du salon de sa grand-mère.

– … Je peux comprendre à quel point tu dois être en colère, reprit Miss Kwan, d'un ton légèrement radouci. À vrai dire, nous n'avons même pas réussi à joindre le moindre parent ou tuteur.

– Mon père a repris l'avion pour l'Amérique, dit Conor. Et ma grand-mère met presque toujours son téléphone en mode silencieux pour ne pas réveiller maman. (Il se gratta le dos de la main.) Mais elle vous rappellera probablement.

La directrice se rassit lourdement dans son fauteuil.

– Le règlement de l'école exige une exclusion immédiate, dit-elle.

Conor sentit son estomac plonger, tout son corps s'affaisser sous une tonne de poids supplémentaire.

Et puis il réalisa qu'il s'affaissait parce qu'un énorme poids lui avait été *enlevé*.

Cette prise de conscience le submergea, et le soulagement aussi, si puissant qu'il faillit pleurer, là, en plein dans le bureau de la directrice.

Il allait être puni. Enfin, la punition allait arriver. Tout allait redevenir logique. Elle allait le renvoyer.

La punition arrivait.

Dieu merci. *Dieu* merci…

– Mais comment pourrais-je agir de la sorte ? continua la directrice.

Conor la fixa, pétrifié.

– … Comment pourrais-je agir ainsi et continuer à me respecter en tant qu'éducatrice ? Avec tout ce que tu endures… (Elle fronça les sourcils.) Avec tout ce que nous savons sur Harry. (Elle secoua légèrement la tête.) Un jour viendra où nous reparlerons de tout cela, Conor O'Malley. Et nous en reparlerons, crois-moi. (Elle se mit à rassembler les papiers sur son bureau.) Mais certainement pas aujourd'hui. (Elle lui jeta un dernier regard.) Tu as des préoccupations plus importantes.

Conor mit un moment avant de réaliser que c'était fini. Que c'était tout. Tout ce qui allait se passer.

– Vous n'allez pas me punir ? balbutia-t-il finalement.

La directrice lui adressa un sourire sévère, mais presque gentil, et puis elle répéta presque les mêmes mots que son père :

– Et à quoi cela pourrait-il bien servir ?

Miss Kwan le ramena en salle de classe.

Les deux élèves qu'ils croisèrent dans le couloir reculèrent contre le mur pour le laisser passer.

La classe fit silence quand il ouvrit la porte, et personne, même pas la prof, ne souffla mot quand il retourna à son bureau. Lili, placée juste derrière lui, eut l'air de vouloir dire quelque chose. Mais elle garda le silence.

Personne ne lui parla pendant le reste de la journée.

« *Il y a des choses plus dures que d'être invisible* », avait dit le monstre, et c'était vrai.

Conor n'était plus invisible. Ils le voyaient tous, maintenant.

Mais il était plus loin que jamais.

Un petit mot

Quelques jours passèrent. Puis quelques autres encore. C'était difficile de faire le compte. Pour Conor, ils se résumaient tous à un long jour gris. Il se levait le matin et sa grand-mère ne lui parlait pas, même pas du coup de téléphone de la directrice. Il allait à l'école, et personne ne lui parlait là-bas non plus. Il allait voir sa maman à l'hôpital, et elle était trop fatiguée pour lui parler. Et quand son père lui téléphonait, il n'avait rien à lui dire.

Le monstre n'avait donné aucun signe de vie, pas depuis la correction infligée à Harry, alors que ce devait être au tour de Conor de raconter une histoire, normalement. Toutes les nuits, il attendait. Toutes les nuits, le monstre n'apparaissait pas. Peut-être parce qu'il savait que Conor n'avait pas d'histoire à raconter. Ou qu'il en avait une, mais refuserait de le raconter.

Finalement, Conor s'endormait, et le cauchemar venait. Il venait toutes les nuits maintenant, et c'était pire qu'avant. Conor se réveillait en hurlant trois ou

155

quatre fois par nuit, une fois tellement fort que sa grand-mère frappa à sa porte pour voir si tout allait bien.

Mais elle n'entra pas.

Le week-end arriva et se passa à l'hôpital. Le nouveau médicament était lent à agir. Pendant ce temps-là, sa maman avait attrapé une infection aux poumons. La douleur avait empiré aussi, alors elle passait presque tout son temps soit à dormir soit à dire des choses pas très cohérentes à cause des médicaments contre la douleur. La grand-mère de Conor le faisait sortir quand elle était comme ça, et il finit par connaître par cœur les couloirs de l'hôpital. Une fois, il guida même une vieille dame perdue jusqu'au service de radiologie.

Lily et sa mère venaient aussi le week-end, mais il se débrouillait chaque fois pour passer tout le temps de leur visite à lire des magazines dans la boutique de cadeaux.

Et puis, finalement, il se retrouvait à nouveau à l'école. Aussi incroyable que cela puisse paraître, le temps continuait à avancer pour le reste du monde.

Le reste du monde qui n'attendait pas.

Mrs Marl rendait le devoir sur « Histoires vécues ». À tous ceux qui avaient une vraie vie, en tout cas. Conor gardait les coudes sur son bureau, se tenant le menton, à fixer la pendule. Il restait encore deux heures et demie avant 12 h 07. Ce qui n'avait d'ailleurs pas grande importance. Il commençait à se dire que le monstre était peut-être parti pour de bon.

Encore quelqu'un qui ne lui parlerait plus, alors.

– Hé, entendit-il chuchoter, quelque part près de lui, pour se moquer de lui, sans doute.

Genre : « Regardez Conor O'Malley, assis là comme un demeuré. Quel zombie ! »

– Hé, entendit-il encore, cette fois de manière plus insistante.

Il réalisa que c'était à *lui* que le chuchotement s'adressait.

Lily était assise de l'autre côté de l'allée, toujours à la même place depuis toutes ces années qu'ils avaient passées ensemble à l'école. Elle gardait les yeux fixés sur Mrs Marl, mais ses doigts tendaient habilement un petit mot.

Un mot pour Conor.

– Prends-le, murmura-t-elle du coin de la bouche en agitant le papier.

Conor vérifia si Mrs Marl les regardait, mais elle était trop occupée à exprimer son étonnement de voir à quel point la vie de Sully ressemblait étrangement à un certain super-héros de bandes dessinées. Conor tendit le bras et prit le papier.

Il avait été plié et replié une bonne dizaine de fois ou presque et l'ouvrir revenait à essayer de défaire un nœud. Conor jeta un coup d'œil irrité à Lily, mais elle faisait toujours semblant d'écouter la prof.

Quatre lignes, et le monde devint silencieux.

« Je suis désolée de l'avoir raconté à tout le monde, pour ta mère », disait la première ligne.

« Cela me manque de ne plus être ton amie », disait la deuxième.

« Comment tu vas ? » disait la troisième.

« Moi je te vois », disait la quatrième, le « moi » souligné une bonne dizaine de fois.

Il le relut. Encore. Et encore.

Il se tourna vers Lily, occupée à recevoir toutes sortes de compliments de Mrs Marl, mais il vit qu'elle rougissait comme une tomate, et pas seulement à cause de ce que disait le professeur.

Mrs Marl dépassa Conor pour rendre son devoir à un autre élève.

Dans son dos, Lily regarda Conor. Le regarda droit dans les yeux.

Et c'était vrai. Elle le voyait. Elle le voyait vraiment.

Il dut ravaler sa salive avant de pouvoir parler.

– Lily…, commença-t-il à chuchoter.

Mais la porte de la classe s'ouvrit et la secrétaire de l'école entra, faisant signe à Mrs Marl pour lui murmurer quelque chose à l'oreille.

Toutes deux se retournèrent pour regarder Conor.

Cent ans

Sa grand-mère s'arrêta devant la chambre d'hôpital.
– Tu ne rentres pas ? demanda Conor.
Elle secoua la tête.
– Je serai en bas, dans la salle d'attente, dit-elle en le laissant seul devant la porte.

Il sentait une brûlure dans son estomac à l'idée de ce qu'il pourrait découvrir à l'intérieur. Ils n'étaient jamais venus le chercher à l'école, pas au milieu de la journée, même pas quand elle avait été hospitalisée à Pâques.

Des questions se bousculaient dans sa tête. Il les balaya.

Il ouvrit la porte, se préparant au pire.

Mais sa mère était réveillée, son lit relevé en position assise. En plus, elle souriait et, pendant une seconde, le cœur de Conor fit un bond. Le traitement avait dû marcher. L'if l'avait soignée. Le monstre avait réussi…

Alors il vit que son regard ne souriait pas. Elle était

159

heureuse de le voir, mais elle était effrayée, aussi. Et triste. Et plus épuisée qu'il ne l'avait jamais vue, ce qui en disait long.

Et ils ne seraient pas venus le chercher à l'école pour lui dire qu'elle allait un peu mieux.

– Bonjour, mon chéri, dit-elle, mais sa voix s'étranglait aussitôt et ses yeux s'emplirent de larmes.

Conor sentit lentement une colère terrible l'envahir.

– Viens ici, dit-elle en tapotant sur la couverture à côté d'elle.

Mais il préféra se recroqueviller sur une chaise près du lit.

– Comment ça va, mon cœur ? demanda-t-elle d'une voix éteinte, le souffle encore plus tremblant que la veille.

Les tuyaux semblaient aussi plus nombreux à l'envahir aujourd'hui, lui transfusant leurs médicaments et de l'air et qui sait quoi d'autre ? Elle ne portait pas de foulard et son crâne chauve paraissait tout blanc dans les lumières blafardes de la chambre. Conor ressentit un besoin presque irrésistible de trouver quelque chose pour le couvrir, le protéger, avant que quelqu'un voie à quel point elle était vulnérable.

– Qu'est-ce qui se passe ? demanda-t-il. Pourquoi grand-mère est venue me chercher à l'école ?

– Je voulais te voir, Conor. Et comme la morphine a tendance à me faire voler au paradis des petits oiseaux, je ne savais pas si j'en aurais encore l'occasion plus tard.

Il se croisa les bras bien serrés sur sa poitrine.

– Tu es réveillée le soir, parfois. Tu aurais pu me voir ce soir.

Il savait qu'il posait une question. Il savait qu'elle le savait, aussi.

Alors, quand elle reprit la parole, il sut qu'elle lui donnait la réponse.

– Je voulais te voir maintenant, Conor.

Là encore, elle avait la voix cassée, et les yeux humides.

– Alors, c'est la conversation, hein ? dit-il d'un ton bien plus sec qu'il ne l'aurait voulu. C'est…

Il ne termina pas sa phrase.

– Regarde-moi, mon chéri, dit-elle, parce qu'il avait gardé les yeux fixés sur le sol.

Lentement, il releva la tête.

Elle lui offrait son sourire le plus épuisé, et il vit comme elle était profondément enfoncée dans ses oreillers, comme si elle n'avait même plus la force de redresser la tête. Il comprit qu'on lui avait relevé le lit parce qu'elle n'aurait pas pu le voir autrement.

Elle prit une profonde inspiration pour parler, ce qui la plongea dans une quinte de toux terrible, caverneuse. Il lui fallut plusieurs longues minutes avant de récupérer.

– J'ai parlé avec le médecin ce matin, articula-t-elle enfin d'une voix faible. Le nouveau traitement ne marche pas, Conor.

– Celui qui vient de l'if ?

– Oui.

Conor fronça les sourcils.

– Mais comment peut-il ne pas marcher ?

Elle ravala péniblement sa salive.

– Les choses sont simplement allées trop vite. C'était un petit espoir. Et maintenant il y a cette infection…

– Mais comment peut-il ne pas *marcher* ? répéta-t-il, presque comme s'il posait la question à quelqu'un d'autre.

– Je sais, répondit sa mère avec le même sourire triste. En regardant cet if tous les jours, j'avais l'impression d'avoir un ami dehors qui m'aiderait si le pire devait arriver.

Conor gardait les bras croisés.

– … Mais ça n'a pas aidé.

Sa mère secoua légèrement la tête. Elle avait un air inquiet, et Conor comprit que c'était pour *lui* qu'elle s'inquiétait.

– Alors il se passe quoi, maintenant, demanda-t-il. Quel est le prochain traitement ?

Elle ne répondit pas. Ce qui était une réponse en soi.

Et Conor le dit à voix haute cependant.

– Il n'y a plus d'autre traitement, hein…

– Je suis désolée, mon chéri, dit-elle, les larmes s'échappant de ses yeux, maintenant, même si elle gardait son sourire. Je n'ai jamais été aussi désolée de toute ma vie.

Conor baissa les yeux. Il avait l'impression de ne pas pouvoir respirer, comme si le cauchemar le vidait de son souffle.

– Tu avais dit que ça marcherait, articula-t-il en s'étranglant.

– Je sais.

– Tu l'avais *dit*. Tu avais dit que tu y *croyais*.

– Je sais.

– Tu as menti, dit Conor en la regardant. Tu as menti pendant tout ce temps-là.

– Je croyais *vraiment* que ça marcherait. Et c'est sans doute ce qui m'a fait tenir le coup si longtemps, Conor. De *croire* que ça marcherait. Pour que tu y croies aussi.

Elle voulut lui prendre la main, mais il la retira.

– Tu as menti, répéta-t-il.

– Je crois qu'au plus profond de toi-même, tu l'as toujours su. N'est-ce pas ?

Conor ne répondit rien.

– C'est normal que tu sois en colère, mon cœur. Vraiment, il n'y a rien de plus normal. (Elle eut un petit rire.) Moi aussi, je suis très en colère, si tu veux savoir. Mais je veux que tu saches une chose, Conor, et il est important que tu m'écoutes. Tu m'écoutes ?

Elle tendit à nouveau le bras. Il hésita une seconde, puis la laissa lui prendre la main, mais la pression était faible, si faible.

– Sois aussi en colère que tu le voudras. Ne laisse personne te dire le contraire. Ni grand-mère ni ton père. Personne. Et si tu as besoin de casser quelque chose, alors, mon Dieu, vas-y de bon cœur.

Il ne pouvait pas la regarder. Il ne *pouvait* pas, c'est tout.

– … Et si un jour, continua-t-elle en pleurant pour de bon cette fois, tu y repenses et que tu as honte d'avoir été en colère contre moi, au point de ne même pas pouvoir me parler, alors tu dois savoir, Conor, tu dois savoir que ce n'est pas grave. Ce n'est pas grave. Parce que je sais. Je *sais*, d'accord ? Je sais tout ce que tu voudrais me dire sans que tu aies besoin de le dire à voix haute. D'accord ?

Il ne pouvait toujours pas la regarder. Il ne pouvait pas lever la tête, elle était trop lourde. Il était plié en deux, comme déchiré.

Mais il hocha quand même la tête.

Il l'entendit lâcher un long soupir, avec un sifflement, et il entendit aussi le soulagement et l'épuisement qu'il contenait.

– Je suis désolée, mon chéri. Je vais avoir besoin d'une petite dose d'antidouleur.

Il relâcha sa main. Elle la tendit et pressa le bouton de la machine que l'hôpital lui avait donnée, et qui lui envoyait une dose si forte qu'elle ne pouvait jamais rester éveillée après l'avoir prise.

Elle lui reprit la main.

– J'aurais aimé vivre encore cent ans, dit-elle très doucement. Avoir encore cent ans à te donner.

Il ne répondit pas. Quelques secondes plus tard, le médicament la plongea dans le sommeil.

Mais cela n'avait plus d'importance.

Ils avaient eu leur conversation.

Il ne restait plus rien à dire.

– Conor ? dit sa grand-mère en glissant la tête dans l'ouverture de la porte un peu plus tard, sans qu'il sache vraiment au bout de combien temps.

– Je veux rentrer à la maison, dit-il tranquillement.

– Conor...

– Chez *moi*, dit-il en relevant la tête, les yeux rouges de chagrin, de honte, de *colère*. La maison avec l'if.

À quoi tu sers ?

– Je retourne à l'hôpital, Conor, dit sa grand-mère en le déposant chez lui. Je n'aime pas la laisser comme ça. Qu'y a-t-il donc de si important, chez toi ?

– Je dois faire quelque chose, répondit-il en observant la maison où il avait passé toute sa vie.

Elle avait l'air vide et comme étrangère, et pourtant cela ne faisait pas si longtemps qu'il était parti.

Il comprit que ce ne serait sans doute plus jamais sa maison.

– Je reviens te chercher dans une heure, dit sa grand-mère. On dînera à l'hôpital.

Conor n'écoutait pas. Il refermait déjà la portière de la voiture.

– Dans une heure, répéta-t-elle plus fort. Il faut que tu viennes, ce soir.

Conor continuait, montant les marches de son perron.

– Conor ? appela sa grand-mère par la vitre baissée.

Mais il ne se retourna pas.

Il entendit à peine la voiture repartir et s'éloigner.

À l'intérieur, la maison sentait la poussière et le renfermé. Il ne prit même pas la peine de fermer la porte derrière lui. Il se dirigea tout droit vers la cuisine et regarda par la fenêtre.

L'église était là, sur sa butte. Et l'if aussi, montant la garde sur son cimetière.

Conor sortit dans le jardin. Il grimpa sur la table où sa maman buvait son verre de Pimm's en été, et se hissa par-dessus la palissade. Il ne l'avait pas fait depuis qu'il était petit, tout petit, il y avait si longtemps que c'était son père qui l'avait puni. L'ouverture dans les fils barbelés de la ligne de chemin de fer n'avait toujours pas été réparée. Il s'y glissa, déchirant sa chemise, mais il s'en moquait.

Il traversa les voies, vérifiant à peine si un train arrivait, escalada une autre clôture et se retrouva au pied de la colline menant à l'église. Il sauta par-dessus le muret en pierre qui l'entourait et remonta entre les tombes, sans perdre l'arbre de vue.

Pendant tout ce temps, l'arbre resta un arbre.

Conor courait presque, maintenant.

– Réveille-toi ! se mit-il à crier avant même de l'atteindre. RÉVEILLE-TOI !

Il arriva au tronc et commença à lui donner des coups de pied.

– J'ai dit, *réveille-toi* ! Je me fiche de l'heure qu'il est !

Il lui flanqua encore des coups de pied, plus fort. Et encore plus fort. Brusquement, l'arbre s'écarta, si vite que Conor perdit l'équilibre et tomba.

Tu finiras par te blesser si tu continues comme ça, dit le monstre penché au-dessus de lui.

– Ça n'a pas marché ! cria Conor en se relevant. Tu avais dit que l'if la guérirait, mais ça n'a pas marché !

J'ai dit que si elle pouvait être guérie, l'if le ferait, répondit le monstre. *Il semble qu'elle ne pouvait pas l'être.*

La colère enfla encore dans la poitrine de Conor, plus oppressante. Il s'attaqua aux jambes du monstre, frappant l'écorce avec ses mains, s'écorchant presque immédiatement.

– Guéris-la ! Tu dois la guérir !

Conor…, commença le monstre.

– À quoi tu sers si tu ne peux pas la guérir, hein ? continua-t-il entre deux coups de poing. Juste à me raconter des histoires à dormir debout, à m'attirer des ennuis et à faire que tout le monde me regarde comme si j'avais la peste ?…

Il s'arrêta parce que le monstre l'avait soulevé d'une main dans les airs.

Tu es celui qui m'a appelé, Conor O'Malley, dit-il en le fixant gravement. *Tu es celui qui a les réponses à ces questions.*

– Si je t'ai appelé, répliqua-t-il, le visage enflammé, des larmes qu'il sentait à peine ruisselant, furieuses, sur ses joues, c'était pour la sauver ! C'était pour la guérir !

Il y eut un frémissement à travers les branches du monstre, un lent et long soupir, comme si le vent les agitait.

Je ne suis pas venu la guérir elle, dit le monstre. *C'est toi que je suis venu guérir.*

– Moi ? s'écria Conor, qui arrêta de se débattre dans la main du monstre. Mais je n'ai pas besoin d'être guéri. C'est ma mère qui…

Mais il ne put le dire. Même maintenant il ne pouvait le dire. Même s'ils avaient eu la conversation. Parce que bien sûr, oui bien sûr, il aurait tant voulu croire le contraire, mais c'était vrai. Il le savait. Et pourtant, il ne pouvait pas le dire.

Pouvait pas dire qu'elle…

Il pleurait si fort et il avait du mal à respirer. Il avait l'impression que son corps se tordait, se fendait en deux.

Il leva les yeux vers le monstre.

– Aide-moi, dit-il doucement.

L'heure est venue, maintenant, de raconter la quatrième histoire.

Conor poussa un cri de colère.

– Non, ce n'est pas ce que je voulais dire ! Il se passe des choses plus importantes que ça !

Oui, dit le monstre. *C'est vrai.*

Il ouvrit sa main libre.

Et le brouillard les entoura.

Et, une fois de plus, ils se retrouvèrent au milieu du cauchemar.

La quatrième histoire

Même dans l'immense et puissante main du monstre, Conor sentait la terreur s'insinuer en lui, toute cette noirceur commencer à lui remplir les poumons et à l'étouffer, il sentait son estomac qui commençait à s'effondrer…

– Non ! cria-t-il en se débattant un peu plus, mais le monstre le tenait bien serré. Non ! S'il te plaît !

La colline, l'église, le cimetière, tout avait disparu, même le soleil s'était évanoui, les laissant au milieu d'une obscurité froide, celle qui suivait Conor depuis la première hospitalisation de sa mère, avant qu'elle prenne les traitements qui lui avaient fait perdre ses cheveux, avant qu'elle attrape cette grippe qui n'avait pas voulu s'en aller jusqu'à ce qu'elle voie un médecin et apprenne que ce n'était pas du tout la grippe. Avant même qu'elle commence à se plaindre d'être si fatiguée, bien avant tout ça, bien avant n'importe quoi, lui semblait-il, le cauchemar avait été là, le traquant, le cernant, lui coupant la route, l'isolant du reste du monde.

Il avait l'impression d'avoir toujours été dedans.

– Sors-moi de là ! hurla-t-il. S'il te plaît !

L'heure est venue, dit le monstre, *de raconter la quatrième histoire.*

– Je ne connais aucune histoire ! dit Conor, le cerveau vacillant de terreur.

Si tu ne la racontes pas, je devrai la raconter pour toi, souffla-t-il en rapprochant Conor de sa figure. *Et tu peux me croire quand je dis que tu n'aimerais pas cela du tout.*

– S'il te plaît, répéta Conor. Je dois retourner voir ma mère.

Mais, dit le monstre en se tournant lentement vers le néant, *elle est déjà là.*

Le monstre le reposa si brusquement à terre que Conor tomba à plat ventre.

Puis il reconnut la terre froide sous ses paumes, il reconnut la clairière où il se trouvait, bordée sur trois côtés par une forêt sombre et impénétrable, il reconnut le quatrième côté, sa falaise qui s'évanouissait dans une obscurité encore plus profonde.

Et, au bord de la falaise, sa maman.

Elle lui tournait le dos, tout en le regardant pardessus son épaule, souriante. Elle semblait aussi faible qu'à l'hôpital, mais elle lui fit un signe de main silencieux.

– Maman ! hurla Conor, qui se sentait trop lourd pour pouvoir se relever, comme chaque fois que le cauchemar commençait. Il faut que tu sortes d'ici !

Sa mère ne bougea pas, mais elle eut l'air un peu inquiète.

Avec un violent effort sur lui-même, Conor se traîna vers elle.

– Maman, tu dois courir !

– Tout va bien, mon chéri, répondit-elle. Ne t'en fais pas !

– Maman ! Maman ! S'il te plaît, *cours* !

– Mais, chéri, il n'y a…

Elle s'arrêta et tourna la tête vers le bord de la falaise, comme si elle avait entendu quelque chose.

– Non…, chuchota Conor pour lui-même.

Il se traîna sur deux mètres encore, mais elle était trop loin, trop loin pour qu'il l'atteigne à temps, et il se sentait si *lourd*…

Il y eut un son grave venant du pied de la falaise. Comme un grondement de *tonnerre* sourd.

Comme si quelque chose d'énorme se déplaçait tout en bas.

Quelque chose de plus grand que le monde.

Et qui escaladait la falaise.

– Conor ? demanda sa mère en se retournant vers lui.

Mais Conor savait. Il était trop tard.

Le *vrai* monstre arrivait.

– Maman ! cria-t-il, à quatre pattes maintenant, luttant contre le poids invisible qui l'écrasait. MAMAN !

– Conor !... cria-t-elle en s'éloignant à reculons du bord de la falaise.

Mais le tonnerre grondait plus fort. Plus fort. Et encore plus fort.

– MAMAN !

Il savait qu'il n'arriverait pas à temps.

Parce qu'avec un long rugissement, un nuage de ténèbres brûlantes hissa deux poings géants au-dessus de la falaise. Ils restèrent suspendus un long moment, planant au-dessus de sa maman qui trébuchait en reculant.

Mais elle était trop faible, beaucoup trop faible...

Et les deux poings la saisirent avec force et la tirèrent par-dessus le bord de la falaise.

Et enfin, Conor réussit à se redresser. Avec un cri, il traversa la clairière, courant si vite qu'il faillit trébucher, et se jeta vers elle, les mains tendues alors que les poings noirs la tiraient par-dessus le bord.

Et ses mains attrapèrent les siennes.

C'était cela, le cauchemar. C'était le cauchemar qui, toutes les nuits, le réveillait en hurlant. C'était ce qui se passait là, maintenant, *ici*.

Il était sur le rebord de la falaise, grinçant des dents, cramponnant de toutes ses forces les mains de sa mère, essayant de l'empêcher d'être plongée dans le noir, d'être entraînée par la créature sous la falaise.

Qu'il voyait complètement maintenant.

Le vrai monstre, celui dont il avait vraiment peur,

celui qu'il s'attendait à voir quand l'if était apparu la première fois, le monstre de cauchemar, fait de nuages et de cendres et de flammes sombres, mais avec des muscles réels, une force réelle, des yeux rouges réels qui le fixaient et des dents luisantes qui dévoreraient sa mère vivante. « J'ai vu pire », avait dit Conor à l'if, cette première nuit-là.

Et voici qu'arrivait le pire.

– Aide-moi, Conor ! hurla sa mère. Ne me lâche pas !

– Non ! Je tiendrai bon ! Je te le promets !

Le monstre du cauchemar poussa un rugissement et tira plus fort, les poings noués autour du corps de sa mère.

Et elle commença à glisser, échappant tout douce-ment à la prise de Conor.

– Non ! cria-t-il.

Sa maman hurla de terreur.

– S'il te plaît, Conor ! Retiens-moi !

– Je te tiens ! cria-t-il.

Puis, se retournant vers l'if qui se tenait là sans bouger :

– Aide-moi ! Je n'arrive pas à la retenir !

Mais il resta là, à simplement l'observer.

– Conor ! hurla sa mère.

Et ses mains glissaient.

– *Conor !* hurla-t-elle encore.

– Maman ! cria-t-il, serrant ses poignets plus fort.

Mais ils glissaient, et elle devenait de plus en plus

lourde, et le monstre du cauchemar tirait de plus en plus fort.

– Je glisse ! hurla sa mère.

– NON ! cria-t-il, tombant sur la poitrine, entraîné par son poids et les poings du monstre qui la tiraient.

Elle hurla encore.

Et encore.

Et elle était si *lourde*, si incroyablement lourde.

– S'il te plaît, chuchota Conor en lui-même. *S'il te plaît.*

Alors, il entendit la voix de l'if derrière lui :

Et voici donc la quatrième histoire.

– Tais-toi ! cria Conor. *Aide-moi !*

Voici la vérité de Conor O'Malley.

Et sa maman hurlait.

Et elle glissait.

Et c'était si dur de la retenir.

C'est maintenant ou jamais, continua l'if. *Tu dois dire la vérité.*

– Non, s'étrangla Conor, la voix brisée.

Tu le dois.

– Non ! répéta Conor, plongeant ses yeux dans ceux de sa mère.

Et la vérité surgit tout d'un coup.

Tandis que le cauchemar atteignait son apogée.

– Non ! cria Conor une fois de plus.

Et sa mère tomba.

La suite de
la quatrième histoire

C'est le moment où il se réveillait, normalement. Quand elle tombait, en hurlant, glissant de ses mains, dans l'abîme, emportée par le cauchemar, perdue pour toujours, c'est là qu'il s'asseyait dans son lit, couvert de sueur, le cœur battant si vite qu'il pensait qu'il allait mourir.

Mais il ne se réveilla pas.

Le cauchemar l'entourait toujours. L'if se tenait toujours derrière lui.

L'histoire n'est pas finie, dit-il.

– Sors-moi d'ici, marmonna Conor en se relevant sur ses jambes tremblantes. Je veux voir ma mère.

Elle n'est plus là, Conor. Tu l'as lâchée.

– C'est juste un cauchemar, répliqua Conor en haletant. Ce n'est pas la vérité.

Mais si, c'est la vérité. Tu le sais bien. Tu l'as lâchée.

– Elle est tombée. Je ne pouvais plus la retenir. Elle était devenue tellement lourde.

Alors tu l'as lâchée.

– Elle est tombée ! répéta Conor d'un ton désespéré.

La saleté et les cendres qui avaient emporté sa mère remontaient la falaise en tentacules de fumée, une fumée qu'il ne pouvait s'empêcher d'avaler. Elle pénétrait dans sa bouche et ses narines comme de l'air, lui remplissant les poumons, l'asphyxiant. Il devait lutter pour respirer.

Tu l'as lâchée, répéta le monstre.

– Je ne l'ai pas lâchée ! cria Conor, et sa voix se cassa. Elle est tombée !

Tu dois dire la vérité ou tu ne quitteras jamais ce cauchemar, fit le monstre dangereusement penché au-dessus de lui, du ton le plus effrayant que Conor lui ait connu. *Et tu resteras piégé ici tout seul pour le restant de tes jours.*

– S'il te plaît, laisse-moi partir ! hurla Conor en essayant de reculer. Alors, il vit que les tentacules du cauchemar s'étaient enroulés autour de ses jambes. Ils le firent tomber et commencèrent à s'enrouler autour de ses bras. Il poussa un cri de terreur.

– … Aide-moi !

Dis la vérité ! fit le monstre d'une voix sévère et vraiment terrifiante, maintenant. *Dis la vérité ou reste ici à tout jamais.*

– Quelle vérité ? hurla Conor, luttant désespérément contre les tentacules. Je ne sais pas de quoi tu parles!

Le visage du monstre surgit brusquement des ténèbres, à quelques centimètres de celui de Conor.

Tu le sais très bien, dit-il d'une voix basse et menaçante.

Et il y eut un silence soudain.

Parce que oui, Conor savait.

Il avait toujours su.

La vérité. La vérité vraie. La vérité du cauchemar.

– Non, dit-il doucement, alors que les ténèbres commençaient à s'enrouler autour de son cou. Non, je ne peux pas.

Tu le dois.

– Je ne peux pas, répéta Conor.

Mais si, dit le monstre, et il y avait un changement dans sa voix. Une note de quelque chose.

De gentillesse.

Les yeux de Conor se mouillaient. Les larmes se déversaient sur ses joues et il ne pouvait les arrêter, il ne pouvait même pas les essuyer parce que les tentacules du cauchemar l'enserraient maintenant, ils l'avaient presque totalement emprisonné.

– S'il te plaît, ne m'oblige pas…, balbutia-t-il. Ne m'oblige pas à le dire.

Tu l'as lâchée.

Conor secoua la tête.

– S'il te plaît…

Tu l'as lâchée, répéta le monstre une fois encore.

Conor ferma très fort les yeux.

Et puis, il hocha la tête.

Tu aurais pu la retenir plus longtemps, mais tu l'as laissée tomber. Tu as desserré ton étreinte et tu as laissé le cauchemar l'emporter.

Conor fit encore signe de la tête, le visage déformé par le chagrin et les larmes.

Tu voulais qu'elle tombe.

– Non, gémit-il entre ses larmes.

Tu voulais qu'elle tombe.

– *Non !*

Tu dois dire la vérité et tu dois la dire maintenant, *Conor O'Malley. Dis-la. Tu le dois.*

Conor secoua encore la tête, les lèvres comprimées, mais il sentait une brûlure dans sa poitrine, comme un feu que quelqu'un aurait allumé là, un feu miniature, qui flamboyait et le brûlait de l'intérieur.

– Ça me tuera si je le fais, lâcha-t-il dans un hoquet.

Et cela te tuera si tu ne le fais pas. Tu dois parler.

– Je ne peux pas.

Tu l'as lâchée. Pourquoi ?

Les ténèbres s'enroulaient autour des yeux de Conor maintenant, bouchant ses narines et envahissant sa bouche. Il suffoquait, cherchant son souffle sans le trouver. L'obscurité l'asphyxiait. Elle le *tuait…*

Pourquoi, Conor, répéta violemment le monstre. *Dis-moi* POURQUOI *! Avant qu'il ne soit trop tard !*

Et le feu dans la poitrine de Conor se mit à flamber soudain plus fort, comme pour le dévorer vivant.

C'était la vérité, il le savait. Une plainte se forma dans sa gorge, une plainte qui se mua en un cri, puis en un long hurlement sans mot. Puis il ouvrit la bouche et le feu en sortit, flamboyant, pour tout consumer, submergeant le noir, submergeant l'if aussi, l'incendiant comme le reste du monde, le brûlant pendant que Conor hurlait et hurlait et hurlait de douleur et de chagrin.

Et il prononça les mots.

Il dit la vérité.

Il dit le reste de la quatrième histoire.

– Je ne le supporte plus ! s'écria-t-il alors que le feu faisait rage autour de lui. Je ne supporte plus de savoir qu'elle va partir ! Je veux seulement que ça soit fini ! Oui, je veux que tout ça se termine !

Alors le feu dévora le monde, balayant tout sur son passage, et le balayant aussi.

Il l'accueillit avec soulagement, parce qu'enfin il avait la punition qu'il méritait.

Une vie après la mort

Conor ouvrit les yeux. Il était couché sur l'herbe de la colline qui surplombait sa maison.

Il était toujours en vie. La pire chose qui aurait pu lui arriver.

— Pourquoi est-ce que ça ne m'a pas tué ? gémit-il en se prenant le visage à deux mains. Je mérite le pire.

Vraiment ? demanda le monstre dressé au-dessus de lui.

— J'y pense depuis tellement longtemps, articula-t-il péniblement, douloureusement, en luttant pour faire sortir les mots. J'ai su depuis toujours qu'elle n'allait pas s'en sortir, depuis le début, presque. Elle disait qu'elle allait mieux parce que c'était ce que je voulais entendre. Et je la croyais. Sauf que je ne la croyais pas.

Non, dit le monstre.

Conor se racla la gorge, luttant toujours avec les mots.

— Et je me suis mis à y penser, à vouloir tellement que ça soit fini. Pour ne plus avoir à y penser. Tellement je ne supportais plus cette attente. Tellement je ne supportais plus de me sentir si seul, à cause de ça.

Il se mit vraiment à pleurer, pleurer comme il ne l'avait jamais fait, plus même que quand il avait appris que sa maman était malade.

Et une partie de toi souhaitait simplement que cela se termine, dit le monstre, *même si cela voulait dire la perdre.*

Conor hocha la tête, incapable de répondre.

Et le cauchemar a commencé. Le cauchemar qui se terminait toujours par…

– Je l'ai lâchée, balbutia Conor. J'aurais pu la retenir encore mais je l'ai lâchée.

Et ça, c'est la vérité.

– Mais je ne voulais pas ! s'écria-t-il. Je ne voulais pas vraiment la lâcher ! Et maintenant c'est pour de bon ! Maintenant elle va mourir et c'est de ma faute !

Et ça, ce n'est pas du tout la vérité.

Le chagrin de Conor était une chose physique, qui l'agrippait comme une pince, le serrait très fort comme un muscle. Il arrivait tout juste à respirer tellement c'était dur ; et il se laissa tomber par terre en espérant que la terre l'avale, une bonne fois pour toutes.

Il sentit vaguement les immenses mains du monstre le ramasser, et former un petit nid pour le tenir. Il avait à peine conscience des aiguilles et des branches qui se tordaient autour de lui, s'adoucissant et s'élargissant pour lui permettre de s'étendre.

– C'est ma faute, souffla-t-il. Je l'ai lâchée. C'est ma faute.

Ce n'est pas de ta faute, dit le monstre d'une voix qui flottait comme une brise autour de lui.

– Si.

Tu souhaitais juste la fin de la souffrance. De ta propre souffrance. La fin de ton isolement. C'est le plus humain de tous les souhaits.

– Je ne voulais pas ça.

Si, tu le voulais et, en même temps, tu ne le voulais pas.

Conor renifla et leva les yeux vers la figure du monstre, aussi vaste qu'un mur.

– Comment les deux peuvent-ils être vrais ?

Parce que les humains sont des animaux compliqués. Comment une reine peut-elle être à la fois une bonne et une mauvaise sorcière ? Comment un prince peut-il être un assassin et un sauveur ? Comment un apothicaire peut-il avoir mauvais cœur mais penser juste ? Comment un pasteur peut-il mal penser mais avoir bon cœur ? Comment des hommes invisibles peuvent-ils devenir encore plus seuls en devenant visibles ?

Conor haussa les épaules, épuisé.

– Je ne sais pas. Je n'ai jamais rien compris à tes histoires.

La réponse, la voici : peu importe ce que tu penses, parce que ton esprit se contredira une centaine de fois par jour. Tu voulais qu'elle parte et en même temps tu voulais désespérément que je la sauve. Ton esprit préférera croire à des mensonges rassurants tout en connaissant les douloureuses vérités qui rendent ces mensonges nécessaires. Et ton esprit te punira de croire aux deux.

– Comment lutter ? demanda Conor d'une voix éraillée. Comment lutter contre tous ces trucs différents à l'intérieur de soi ?

En disant la vérité. Comme tu viens de le faire.

Il repensa aux mains de sa mère, à leur étreinte quand il avait lâché…

Arrête ça, Conor O'Malley, dit le monstre, gentiment. *C'est pour cela que je suis venu, pour te dire cela, pour que tu puisses guérir. Tu dois m'écouter.*

Conor se racla la gorge.

– J'écoute.

On n'écrit pas sa vie avec des mots. On l'écrit avec des actes. Ce que tu penses n'est pas important. C'est ce que tu fais qui compte.

Il y eut un long silence pendant que Conor reprenait son souffle.

– Alors, je fais quoi ? demanda-t-il finalement.

Tu fais ce que tu viens de faire. Tu dis la vérité.

– C'est tout ?

Le monstre haussa deux énormes sourcils.

Tu crois que c'est facile ? Alors que tu étais prêt à mourir plutôt que de la dire ?

Conor regarda ses mains, et finit par les desserrer.

– Mais ce que je pensais était si mal.

Ce n'était pas mal. C'était seulement une pensée, une parmi des millions. Ce n'était pas un acte.

Conor laissa échapper un long, long soupir, encore brûlant.

Mais il n'étouffait plus. Le cauchemar n'était plus là pour le remplir, lui écraser la poitrine, l'entraîner vers l'abîme.

En fait, il ne sentait plus du tout la présence du cauchemar.

– Je suis tellement fatigué, dit-il en plongeant la tête dans ses mains. Je suis tellement fatigué de tout ça.

Eh bien, dors. L'heure est venue.

– Vraiment ? marmonna-t-il, soudain incapable de garder les yeux ouverts.

Le monstre changea un peu la forme de ses mains pour rendre encore plus confortable le lit de branches et d'aiguilles où reposait Conor.

– Il faut que je voie ma maman.

Tu la verras. Je te le promets.

Conor rouvrit les yeux.

– Et tu seras là ?

Oui. Ce seront mes derniers pas.

Conor se sentit aussitôt dériver, la marée du sommeil l'entraînant si fort qu'il ne put y résister.

Mais avant de sombrer, il sentit une ultime question remonter à la surface.

– Pourquoi… viens-tu toujours à 12 h 07 ? demanda-t-il.

Il s'endormit avant que le monstre ait le temps de répondre.

Quelque chose en commun

– Oh, Dieu merci !

Ces mots, Conor les perçut vaguement avant d'être vraiment réveillé.

– Conor ! entendit-il.

Puis, plus fort :

– … Conor !

La voix de sa grand-mère.

Il ouvrit les yeux, et s'assit lentement. La nuit était tombée. Combien de temps avait-il dormi ? Il regarda autour de lui. Il était encore sur la colline derrière sa maison, niché entre les racines de l'if qui se dressait au-dessus de sa tête. Il leva les yeux. C'était juste un arbre.

Mais il aurait juré aussi que ça n'en était pas un.

– CONOR !

Sa grand-mère arrivait de l'église en courant, et il aperçut sa voiture garée sur la route, phares allumés, moteur tournant au ralenti. Il se leva, et il vit son visage bouleversé par l'énervement et le soulagement, mais aussi par quelque chose qu'il reconnut avec un coup de poing dans l'estomac.

– Oh, Dieu merci, Dieu MERCI! cria-t-elle en le rejoignant.

Et alors, elle fit une chose surprenante.

Elle l'étreignit, si violemment qu'ils seraient tous les deux tombés à la renverse s'il n'y avait pas eu l'if dans le dos de Conor pour les arrêter. Elle le relâcha et se mit vraiment à crier :

– Où étais-tu ? hurla-t-elle ou presque. Je te cherche depuis des HEURES ! J'étais comme FOLLE, Conor ! Bon sang, mais QU'EST-CE QUI T'A PRIS !

– Il y avait quelque chose que je devais faire, répondit-il, mais elle le tirait déjà par le bras.

– Pas le temps, dit-elle. Il faut qu'on y aille. Il faut qu'on y aille *maintenant*.

Elle le relâcha pour pratiquement piquer un sprint vers la voiture, un spectacle tellement étrange et perturbant que Conor la suivit en courant sans réfléchir, sautant sur le siège passager. Il n'avait pas encore refermé sa portière qu'elle démarrait déjà en faisant crisser les pneus.

Il n'osa pas demander pourquoi ils se dépêchaient à ce point.

– Conor…, dit sa grand-mère alors que la voiture descendait la route à une vitesse inquiétante.

Et, ce n'est qu'en tournant les yeux vers elle qu'il vit comme elle pleurait. Et tremblait, aussi.

– … Conor, tu ne peux pas…

Elle trembla encore, et il la vit cramponner le volant plus fort.

– Grand-mère…, commença-t-il.

– Non… Ne dis rien…

Ils roulèrent en silence pendant un moment, sans même ralentir aux panneaux de passages prioritaires. Conor vérifia sa ceinture de sécurité.

– Grand-mère ? demanda-t-il paniqué car ils venaient de décoller sur une bosse.

Elle continuait à la même allure.

– Je suis désolé, dit-il doucement.

Elle rit brièvement, d'un rire triste et rauque, et secoua la tête.

– Cela n'a pas d'importance, dit-elle. Aucune importance.

– Vraiment ?

– Bien sûr que non…

Et elle se remit à pleurer. Mais ce n'était pas le genre de grand-mère à laisser des larmes lui couper la parole.

– Tu sais, Conor… Toi et moi… On n'est pas très bien assortis, n'est-ce pas ?

– Non. J'imagine que non.

Elle prit un virage tellement serré qu'il dut s'accrocher à la poignée de la portière.

– Mais on va devoir apprendre, tu sais, dit-elle.

Conor ravala sa salive.

– Je sais.

Sa grand-mère émit un petit sanglot.

– Tu sais, alors ? Mais oui, bien sûr que tu sais.

Elle toussa pour s'éclaircir la voix, regardant rapidement des deux côtés d'un carrefour avant de filer tout droit, grillant le feu rouge.

– Mais tu sais quoi, petit-fils ? reprit-elle. Nous avons quelque chose en commun.

– Ah, bon ? lâcha Conor tandis que l'hôpital surgissait au bout de la route.

– Oh, oui, dit sa grand-mère en appuyant encore plus fort sur l'accélérateur, et il vit que ses larmes coulaient toujours.

– Et c'est quoi ?

Elle fonça sur le premier emplacement libre qu'elle repéra devant l'hôpital, et s'arrêta brutalement, à cheval sur le trottoir.

– Ta maman, dit-elle en le fixant droit dans les yeux. C'est cela que nous avons en commun.

Conor ne répondit rien.

Mais il savait ce qu'elle voulait dire.

Sa maman à lui était sa fille à elle. Et elle était pour eux deux la personne la plus importante au monde. Et ce n'était pas rien d'avoir ça en commun.

Et en tout cas, on pouvait déjà commencer par là.

Elle coupa le contact et ouvrit la portière.

– Dépêchons-nous, dit-elle.

La vérité

Sa grand-mère se rua devant lui dans la chambre de sa maman, une expression d'inquiétude terrible sur le visage. Mais, à l'intérieur, une infirmière répondit aussitôt :

– Vous arrivez à temps.

Elle étouffa un cri de soulagement.

– Vous l'avez retrouvé, dit l'infirmière en regardant Conor.

– Oui, répondit-elle, sans rien ajouter.

Elle et Conor regardaient sa maman.

La chambre était plongée dans la pénombre, sauf une lumière au-dessus du lit où elle était allongée. Ses yeux étaient fermés, et sa respiration semblait lutter contre un gros poids écrasant sa poitrine.

L'infirmière les laissa avec elle, et sa grand-mère s'assit sur la chaise de l'autre côté du lit puis se pencha pour prendre la main de sa maman. Elle la garda dans la sienne, l'embrassant tout en se balançant d'avant en arrière.

– M'man ? entendit-il.

C'était sa maman qui parlait, sa voix si basse et rauque qu'il était presque impossible de la comprendre.

– Je suis là, ma chérie, dit sa grand-mère, sans lui lâcher la main. Conor est là, lui aussi.

– Oui ? bredouilla sa maman, sans ouvrir les yeux.

La grand-mère de Conor le regarda comme pour l'inciter à dire quelque chose.

– Je suis là, maman, dit-il.

Elle ne répondit rien, tendant seulement la main la plus proche de lui, sur le lit.

Lui demandant de la prendre.

De la prendre et de ne pas la lâcher.

Et voici la fin de l'histoire, dit le monstre derrière lui.

– Je fais quoi, maintenant ? chuchota Conor.

Il sentit le monstre poser ses mains sur ses épaules. Bizarrement, elles se faisaient toutes petites, comme pour le soutenir.

Tout ce que tu as à faire, c'est dire la vérité, dit le monstre.

– Ça me fait peur, dit-il.

Il distinguait sa grand-mère dans la lueur diffuse, penchée sur sa fille. Il voyait sa maman, la main toujours tendue, les yeux toujours fermés.

Tandis que les mains du monstre le guidaient doucement mais fermement vers sa maman, Conor vit la pendule sur le mur au-dessus de son lit.

Il était déjà 23 h 46.

Vingt et une minutes avant 00 h 07.

Il voulait demander au monstre ce qui allait se passer, mais il n'osait pas.

Parce qu'il avait l'impression de savoir.

Si tu dis la vérité, murmura-t-il à son oreille, *tu sauras faire face à tout ce qui peut arriver.*

Alors Conor regarda sa maman, sa main tendue. Il sentit sa gorge se serrer à l'étouffer, et ses yeux picoter.

Mais ce n'était pas l'asphyxie du cauchemar. C'était plus simple, plus propre.

Mais tout aussi difficile

Il prit la main de sa mère.

Elle ouvrit les yeux, brièvement, au même moment. Puis elle les referma.

Mais elle l'avait vu.

Et il savait que c'était là. Il savait qu'il n'y avait plus de retour en arrière possible. Que ça allait arriver, peu importe ce qu'il voulait, ce qu'il ressentait.

Et il savait aussi qu'il allait s'en sortir.

Ce serait horrible. Ce serait pire qu'horrible.

Mais il survivrait.

Et c'était pour cette raison que le monstre était venu. Forcément. Conor en avait eu besoin et son besoin l'avait appelé, d'une certaine façon. Et il était apparu. Juste pour ce moment.

— Tu vas rester ? chuchota Conor au monstre,

parvenant tout juste à articuler les mots. Tu vas rester jusqu'à ce que…?

Je vais rester, dit-il, ses mains toujours posées sur les épaules de Conor. *Maintenant, il te suffit simplement de dire la vérité.*

Alors c'est ce que fit Conor.

Il prit son inspiration.

Et, enfin, il dit la vérité totale, définitive.

– Je ne veux pas que tu partes, dit-il, les larmes roulant sur ses joues, lentement d'abord, puis ruisselant comme un torrent.

– Je sais, mon amour, répondit sa mère d'une voix étouffée. Je sais.

Conor sentait le monstre qui le maintenait bien droit.

– Je ne veux pas que tu partes, répéta-t-il.

Et c'était tout ce qu'il avait besoin de dire.

Il se pencha sur son lit et mit son bras autour d'elle.

Il la tenait.

Il savait que le moment viendrait, peut-être même cette nuit-là, à 00 h 07. Le moment où il aurait beau la serrer, elle glisserait, elle échapperait à son étreinte.

Mais pas tout de suite, chuchota le monstre, toujours tout près. *Pas encore.*

Conor serrait étroitement sa mère.

Alors, il put enfin la laisser partir.

Table

Patrick Ness
L'auteur

Patrick Ness est né aux États-Unis, dans l'État de Virginie. Passionné par la lecture et l'écriture, il y étudie la littérature anglaise. En 1999, il s'installe à Londres et enseigne pendant trois ans l'écriture à Oxford. Auteur de six romans pour adolescents et deux pour adultes, ainsi que d'un recueil de nouvelles, il a écrit pour la radio et pour le journal anglais *The Guardian*.

Au cours de sa carrière littéraire, Patrick Ness a reçu les distinctions les plus prestigieuses. Nombre de ses textes, dont la brillante trilogie *Le Chaos en marche*, ont en effet été récompensés par d'importants prix internationaux : Prix Guardian 2008, Booktrust Teenage Prize 2008, Costa Book Award 2009, National Book Award 2011, Jugendliteraturpreis 2012, Prix Imaginales Jeunesse 2013, et la Carnegie Medal, décernée à l'auteur deux années consécutives.

Dès sa publication, en 2011, *Quelques minutes après minuit* connaît un large succès. Patrick Ness y reprend une idée originale de **Siobhan Dowd**, écrivain irlandaise emportée par un cancer en 2007, qui a laissé une œuvre témoignant de son immense talent et de sa profonde passion pour la vie.

Plusieurs de ses romans sont publiés aux Éditions Gallimard Jeunesse.

En 2017, *Quelques minutes après minuit* est adapté au cinéma par Juan Antonio Bayona, avec le jeune Lewis MacDougall dans le rôle de Connor et l'acteur Liam Neeson pour la voix du monstre, dont l'apparence résulte d'une véritable prouesse d'animation.

http://patrickness.com

De Patrick Ness chez Gallimard Jeunesse

FOLIO JUNIOR
Quelques minutes après minuit, n° 1700

SCRIPTO
La première fois

PÔLE FICTION et GRAND FORMAT LITTÉRATURE
Le Chaos en marche
1. *La Voix du couteau*
2. *Le Cercle et la Flèche*
3. *La Guerre du Bruit*

GRAND FORMAT LITTÉRATURE
Et plus encore
Nous autres, simples mortels
Quelques minutes après minuit (édition illustrée par Jim Kay)
Quelques minutes après minuit (édition du film)

De Siobhan Dowd chez Gallimard Jeunesse

FOLIO JUNIOR

L'étonnante disparition de mon cousin Salim, n° 1619

SCRIPTO

La parole de Fergus
Sans un cri
Où vas-tu, Sunshine ?

GRAND FORMAT LITTÉRATURE

L'étonnante disparition de mon cousin Salim

Si vous avez aimé ce livre,
retrouvez d'autres **histoires inoubliables**

———————————

dans la collection

FOLIO
JUNIOR

———————————

JE M'APPELLE MINA

David Almond

n° 1695

Mina, 9 ans, vit seule avec sa mère depuis la mort de son père. Le plus souvent réfugiée dans son arbre à l'abri du monde, elle joue avec les mots, invente des histoires, raconte sa vie de tous les jours, le bonheur de regarder la vie d'en haut, parmi les oiseaux, loin du monde d'en bas, où elle a eu si peur. C'est d'amitié et de liberté que nous parle Mina. Écrire son journal intime lui permettra-t-il de nous confier son secret et d'enfin s'ouvrir au monde ?

UNE PROMESSE POUR MAY

Melvin Burgess

n° 1119

Tam, dont les parents sont séparés, se réfugie souvent dans une ferme en ruines, à l'écart de la ville. Il y rencontre une vieille mendiante et son chien.

Ensemble, ils vont effectuer un étonnant voyage dans le temps et se trouver plongés en pleine Seconde Guerre mondiale. May, une étrange petite fille, devient alors son amie...

Découvrez un récit captivant
de **Siobhan Dowd**

___

dans la collection

L'ÉTONNANTE DISPARITION
DE MON COUSIN SALIM

___

n° 1619

Lundi 24 mai, 11 h 32, ma sœur et moi avons regardé notre cousin Salim monter à bord de la grande roue de Londres. Lundi 24 mai, 12 h 02, sa nacelle est redescendue, les portes se sont ouvertes, tous les gens en sont sortis. Sauf Salim, qui s'est volatilisé. La police ne sait pas où donner de la tête. A-t-il été enlevé, comme le pense tante Gloria ? Moi, Ted, j'ai échafaudé neuf théories, dont celle de la combustion spontanée, et je vais toutes les vérifier.

Mise en pages : Maryline Gatepaille

Loi n° 49-956 du 16 juillet 1949
sur les publications destinées à la jeunesse
ISBN : 978-2-07-507450-6
Numéro d'édition : 400885
Premier dépôt légal dans la collection : octobre 2016
Dépôt légal : juillet 2021

Imprimé en Espagne par Novoprint (Barcelone)